Miguel Delibes
Cinco horas con Mario

Miguel Delibes

Cinco horas con Mario

Ediciones Destino
Colección
Áncora y Delfín
Volumen 281

© Miguel Delibes
© Ediciones Destino
Consejo de Ciento, 425. Barcelona - 9
Primera edición: diciembre 1966
Segunda edición: mayo 1967
Tercera edición: junio 1967
Cuarta edición: diciembre 1969
Quinta edición: noviembre 1971
Sexta edición: marzo 1974
Séptima edición: mayo 1974
Octava edición: julio 1974
Novena edición: octubre 1975
Décima edición: enero 1976
Undécima edición: marzo 1976
Duodécima edición: diciembre 1976
Decimotercera edición: noviembre 1977
Decimocuarta edición: febrero 1978
Decimoquinta edición: julio 1978
Decimosexta edición: octubre 1978
Decimoséptima edición: marzo 1979
ISBN: 84 - 233 - 0270 - 9
Depósito Legal: B. 10268 - 1979
Gráficas Diamante,
Zamora, 83, Barcelona - 18
Impreso en España — Printed in Spain

A José Jiménez Lozano

ROGAD A DIOS EN CARIDAD
POR EL ALMA DE

D. Mario Díez Collado

que descansó en el Señor, confortado
con los Auxilios Espirituales,
el 24 de marzo de 1966,
a los 49 años de edad

— R. I. P. —

Su desconsolada esposa, doña María
del Carmen Sotillo; hijos, Mario, María
del Carmen, Álvaro, Borja y María Aránzazu; padre político, Ilmo. Sr. D. Ramón
Sotillo; hermana, María del Rosario;
hermanas políticas, doña Julia Sotillo y
doña Encarnación Gómez Gómez; tíos,
primos y resto de la familia doliente,
participan tan sensible pérdida y supli-
can una oración por el eterno descanso
del finado.

Misa de alma: Mañana, a las 8, en la
Parroquia de San Diego.

Conducción del cadáver: A las 10.

Las misas Gregorianas se avisarán
oportunamente.

Casa mortuoria: Alfareros, 16, pral.
dcha. Gráficas Pío Tello.

Después de cerrar la puerta, tras la última visita, Carmen recuesta levemente la nuca en la pared hasta notar el contacto frío de su superficie y parpadea varias veces como deslumbrada. Siente la mano derecha dolorida y los labios tumefactos de tanto besar. Y como no encuentra mejor cosa que decir, repite lo mismo que lleva diciendo desde la mañana: "Aún me parece mentira, Valen, fíjate; me es imposible hacerme a la idea". Valen la toma delicadamente de la mano y la arrastra, precediéndola, sin que la otra oponga resistencia, pasillo adelante, hasta su habitación:

—Debes dormir un poco, Menchu. Me encanta verte tan entera y así, pero no te engañes, bobina, esto es completamente artificial. Pasa siempre. Los nervios no te dejan parar. Verás mañana.

Carmen se sienta en el borde de la gran cama y se descalza dócilmente, empujando el zapato del pie derecho con la punta del pie izquierdo y a la inversa. Valentina la ayuda a tenderse y, luego, dobla un triángulo de colcha de manera

que la cubra medio cuerpo, de la cintura a los
pies. Dice Carmen antes de cerrar los ojos, súbitamente recelosa:

—Dormir, no, Valen, no quiero dormir; tengo que estar con él. Es la última noche. Tú lo
sabes.

Valentina se muestra complaciente. Tanto su
voz —el contenido y el volumen de su voz—
como sus movimientos, recatan una eficacia ine-
fable:

—No duermas si no quieres, pero relájate.
Debes relajarte. Debes intentarlo por lo menos
—mira el reloj—. Vicente no puede tardar.

Carmen se estira bajo la blanca colcha, cierra
los ojos y, por si fuera insuficiente, se los protege
con el antebrazo derecho desnudo, muy blanco,
en contraste con la negra manga del jersey que
la cubre hasta el codo. Dice:

—Me parece que hace un siglo desde que te
llamé esta mañana. ¡Dios mío, qué de cosas han
pasado! Y todavía me parece mentira, fíjate; me
es imposible hacerme a la idea.

Aun con los ojos cerrados y preservados por
el antebrazo, Carmen sigue viendo desfilar rostros inexpresivos como palos cuando no delibe-
radamente contristados: "Lo dicho"; "Mucha re-
signación"; "Cuídate, Carmen, los pequeños te
necesitan"; "¿A qué hora es mañana la conducción?" Y ella: "Gracias, Fulano", o "Gracias, Men-
gana" y ante las visitas eminentes: "¡Cuánto le

hubiera alegrado al pobre Mario verle por aquí!"
La gente nunca era la misma pero la densidad no
decrecía. Era como el caudal de un río. Al principio, todo resultó burdamente convencional. Caras largas y silencios insidiosos. Fue Armando
quien quebró la tirantez con su chiste: el de
las monjitas. Él había creído que ella no le oía,
pero Carmen le oyó, e independientemente de
ella, Moyano, desde su palidez lechosa, con el
rostro enmarcado por una negra y sedosa barba
rabínica, le censuró con una acre mirada muda.
Pero ya nada volvió a ser tan tenso como antes.
Las barbas de Moyano y su palidez de muerto
hacían bien en el velatorio. En cambio el mechón
albino de Valen, detonaba. "Cuando me lo dijeron no podía creerlo. Si le vi ayer". Carmen se
inclinaba y la besaba en las dos mejillas. En realidad, no se besaban, cruzaban estudiadamente
las cabezas, primero del lado izquierdo, luego
del derecho, y besaban al aire, tal vez a algún
cabello desmandado, de forma que una y otra
sintieran los chasquidos de los besos pero no su
efusión. "Pero si yo misma. Anoche cenó como si
tal cosa y leyó hasta las tantas. Y esta ·mañana,
ya ves. ¿Cómo me iba a imaginar una cosa así?"
Las barbas de Moyano cuadraban perfectamente
con el ambiente. Y su tez cerúlea, demacrada, de
hombre estudioso. Era lo único que Carmen podía
agradecerle. "¿Te importa que pase a verlo?" "Al
contrario, mujer". "Lo dicho, Carmen". Y las dos

mujeres cruzaban las cabezas, primero del lado izquierdo, luego, del lado derecho, y besaban, al aire, al vacío, tal vez a algún cabello suelto, de manera que ambas sintieran el efluvio de los besos pero no su calor. "Nunca vi un muerto semejante, te lo prometo. No ha perdido siquiera el color". Y Carmen experimentaba una oronda vanidad de muerto, como si lo hubiese fabricado con las propias manos. Como Mario, ninguno; era su muerto; ella misma lo había manufacturado. Pero Valen se resistía: "Prefiero recordarle vivo, ya ves". "Te advierto que no impone lo más mínimo". "Aunque así sea". Y lo mismo Menchu, pero ella era su hija y no tenía otro remedio. Al regresar del Colegio, ayudada por la Doro, la había obligado a entrar y la había forzado a abrir los párpados que ella se obstinaba en cerrar. "Mujer, déjala, si es aún una niña". "Es su hija y va ahora mismo porque se lo mando yo". Una histérica. Menchu se había comportado como una histérica.

—Cría cuervos.

—Déjalo, Menchu; relájate, anda; haz lo posible por relajarte. No pienses en nada ahora.

La mayor parte eran bultos oscuros con unos ojos abultados, miméticos. Les unía una difusa responsabilidad, un sentimentalismo acomodaticio y un goloso afán por apresarla —a ella; a Carmen— con los dedos o con los labios. Llegaban perplejos con ganas de despachar pronto: "Cuando me lo dijeron no podía creerlo, si le vi ayer". "Pobre Mario ¡tan joven!". El mechón albino de Valentina detonaba como un trallazo. También detonaban los libros, tras el féretro, con sus lomos brillantes, rojos, verdes y amarillos. Cuando los muchachos de Carón se fueron, ella les estuvo volviendo uno a uno, pacientemente, todos los de cubiertas chillonas que sobresalían del crespón negro. Al concluir, se sintió extrañamente complacida y con los dedos llenos de polvo.

"Lo dicho"; "Salud para encomendarle a Dios". Después de todo hizo bien en mandar a Bertrán a la cocina. Un bedel no debe estar nunca donde estén los catedráticos. Y luego, la escena. Antonio había pasado un mal trago por su culpa. ¿Por qué asistirían los sordos a estas cosas? Antonio tan sólo dijo: "Se mueren los buenos y quedamos los malos", y, en realidad, no lo dijo; lo musitó, pero Bertrán dijo: "¿Cómo dice?", y Antonio lo repitió otra vez, quedamente, mirando antes, suspicazmente, a los lados, y Bertrán levantó los hombros y la voz y dijo: "si no le entiendo" y ponía por testigos a la concurrencia y Antonio miraba al cadáver y, luego, al acompañamiento, pero lo dijo otra vez y otra, alzando progresivamente la voz, mientras en los grupos se iba haciendo el silencio, de tal forma que cuando chilló, "¡que quedamos los malos y se mueren los buenos!" y Bertrán respondió:

"¡Ah, no le entendía, perdone!", todo el mundo se dio por enterado.

Unos grupos llegaban y otros marchaban. Les unía un difuso sentimiento de responsabilidad y unas pupilas hipócritas, estudiadamente atormentadas. Fue Bene, la mujer de Antonio, quien dijo, aprovechando un afectado silencio y tras un suspiro tan prolongado que pareció que se deshinchaba: "El corazón es muy traicionero, ya se sabe". Y fue como una liberación. Los ojos fueron perdiendo su expresión atormentada y, poco a poco, los rostros se fueron redondeando. Se había hallado un culpable. Pero ella solamente le dijo a Bertrán: "Bertrán, pase usted a la cocina; aquí no podemos ni rebullirnos".

—No puedes hacerte idea de cómo estaba la cocina, Valen. Un jubileo. Mario tenía entre la gente un poco así mucho cartel, desde luego.

—Sí, mona; ahora calla. No pienses en nada. Procura relajarte, te lo pido por favor.

—Me parece que hace un siglo desde que te llamé esta mañana, Valen.

La llamó a poco de descubrirlo. Y Valen acudió en seguida. Fue la primera. Carmen se había desahogado con ella durante hora y media. *Era tarde para su costumbre, pero al abrir las contraventanas aún pensé que pudiera estar dormido. Me chocó su postura, sinceramente, porque Mario solía dormir de lado y con las piernas encogidas, que le sobraba la mitad de la cama,*

*de larga, claro, que de ancha, a mí cohibida,
imagina, pero él se hacía un ovillo, dice que de
siempre, desde chiquitín, desde que tenía uso
de razón, ya ves, pero esta mañana estaba boca
arriba, normal, desde luego, sin inmutarse, que
Luis dice que cuando da el ataque, instintivamente notan que se ahogan y se vuelven, por lo
visto buscando aire, que yo me lo figuro como
los peces cuando los sacas del agua, una cosa así,
esas boqueadas, ¿comprendes?, pero de color y
eso, como si nada, enteramente normal, ni de
rígido, igualito que dormido...* Pero cuando le
tocó en el hombro y dijo "vamos, Mario, se te
va a hacer tarde", Carmen retiró la mano como
si se hubiese quemado. "El corazón es muy traicionero, ya se sabe". "¿A qué hora es mañana
la conducción?" "Pero si yo misma. Anoche cenó
como si tal cosa y leyó hasta las tantas... Y esta
mañana, ya ves, ¿quién me iba a decir a mí una
cosa así?" Y se lo preguntó a Valen (que con
Valen tenía confianza): "¿Tú sabes, Valen, si
Mario tiene el ilustrísimo señor? No es por vanidad mal entendida, entiéndeme, figúrate en estos
momentos, pero por la esquela, ¿comprendes?,
que una esquela así, sin tratamiento, a palo seco,
parece como desairada". Valentina no respondía.
"¿Me oyes?" Se hizo la ilusión de que Valen llo-
raba. "Pues no lo sé, fíjate —respondió Valen de
repente— me dejas pegada. Espera un segundo
que le pregunto a Vicente". Carmen oyó el golpe

del auricular y los pasitos rítmicos de Valen, cada vez más imprecisos y fugaces, por el pasillo. Y al cabo: "Vicente dice que no, que el ilustrísimo es sólo para los directores. Lo siento, mona".

Eran bultos obstinados, lamigosos, que se aferraban a su mano como ventosas o la forzaban a inclinarse, primero del lado izquierdo, luego, del lado derecho. "No sabes qué impresión me ha hecho; no he podido comer. Ángel me decía: Come, mujer, con eso no arreglas nada". *Pero los hijos, no dan más que disgustos desde que se abren paso, desgarrándola a una, vientre abajo; cría cuervos. Ya ves Mario, ni una lágrima. Ni luto por su padre, ¿quieres más?* "Déjame, mamá, por favor, a mí eso no me consuela. Eso son convencionalismos estúpidos, conmigo no cuentes". Media hora en el servicio llorando. *Es como el suéter este, Valen, no me digas, es de cuando el luto de la pobre mamá que en paz descanse. Pero estoy hecha una facha, me ha quedado chico y lo peor es que, de momento, no tengo otro.* El suéter negro de Carmen clareaba en las puntas de los senos debido a la turgencia. En puridad, los pechos de Carmen, aun revestidos de negro, eran excesivamente pugnaces para ser luto. En el subconsciente de Carmen aleteaba la sospecha de que todo lo estridente, coloreado o agresivo resultaba inadecuado para la circunstancia. *Yo le hubiera hecho con gusto el boca a boca, no hubiera tenido el menor reparo, que otras*

dicen que qué asco, yo no, que todo menos dejar-
le irse así, fíjate, pero si te digo mi verdad no lo
he visto más que una vez en el NO-DO y no me
atreví, porque son de esas cosas, ya sabes, que ni
prestas atención, como quien ve a los bomberos,
a mí plin, eso conmigo no reza, no sé cómo decirte, lo último que se te ocurre. "El corazón es
muy traicionero, ya se sabe". "No es porque yo
lo diga pero en la vida había estado enfermo".
"No me choca nada lo de Mario, Menchu; eran
uña y carne". Valentina se echó a reír: ¿"Has
probado de ponerte una combi y un sujetador
negros?" Así era otra cosa. El suéter seguía siendo chico y los senos grandes, pero el entramado
de la lana no transparentaba. *La poitrine ha sido
mi gran defecto. Siempre tuve un poco de más,
para mi gusto.* Valentina y Esther no se separaban
de su lado. Esther no despegaba los labios, pero
acechaba sus momentos de flaqueza. Valentina, de
cuando en cuando, la besaba la mejilla izquierda:
"Menchu, mona, no sabes el gusto que me da verte
tan entera". Para acabar de arreglarlo, Borja volvió
del colegio dando voces: "¡Yo quiero que se muera
papá todos los días para no ir al Colegio!" Le había
golpeado despiadadamente, hasta que la mano
empezó a dolerle. "Deje, señorita, la criatura ni
se da cuenta; le va a lastimar". Pero ella golpea-
ba sin duelo, a ciegas. Luego los bultos que llegaban, con dos ojos redondos, atónitos, la opri-
mían la misma mano hinchada y dolorida, o cru-

zaban con ella sus cabezas, primero del lado izquierdo, y luego del derecho, y decían: "Me he enterado de verdadero milagro"; "Cuando me lo dijeron no podía creerlo"; "Ángel me decía: 'Come; con no comer no arreglas nada.'" Pero a Mario no le besaban ni le estrujaban la mano. Sus amigos ocultaban el rostro turbadamente contra su hombro y le golpeaban frenéticamente la espalda con la mano derecha como si pretendieran sacudirle el polvo a su suéter azul. "No me choca nada; eran uña y carne. ¡Pobre Mario!" "¿El padre o el hijo?" No sabía ya lo que decía. "Los dos. Bien pensado, los dos." Era su muerto; ella lo había manufacturado. Le rasuró con la maquinilla eléctrica y le peinó antes de que los muchachos de Carón lo encerraran en el estuche. "No está descolorido ni nada. No parece un muerto. Nunca vi cosa semejante, ¿verdad, tú? Y mire que nosotros tenemos costumbre". "Lo dicho". Inclinaba la cabeza, primero del lado izquierdo y, luego, del lado derecho y succionaba al aire, al vacío, de forma que la otra sintiera el estallido del beso pero no su efusión. "No me diga que a nuestro señor le va usted a dejar de calle, como un día cualquiera". "¿Por qué no, Doro?" La Doro se santiguó: "No me diga y con zapatos de color. Eso ni el pobre más pobre". Carmen la envió a la cocina. No tenía por qué darle explicaciones a una criada. A Bertrán le dijo: "Pase usted a la

cocina, Bertrán; aquí no podemos ni rebullirnos".
Bertrán, al llegar, con sus miopes, lacrimosos ojos
planos le había dicho: "No era bueno; era un
hombre cabal, que es distinto. Don Mario era
un hombre cabal y hombres cabales entran pocos
en kilo. ¿Usted me comprende, señora?" Le re-
chazó enérgicamente porque trataba de besarla
o poco menos. Carmen rasuró a Mario con la
maquinilla eléctrica, le lavó, le peinó y le vistió
el traje gris oscuro, el mismo con el que había
dado la conferencia el Día de la Caridad, abrién-
dolo un poco por los costados, pues aunque el
cadáver flexionaba bien, pesaba demasiado para
ella sola. Luego le colocó la corbata listada, en
negro y marrón, con la rayita roja, pero no quedó
a gusto porque el nudo resultaba demasiado
blando. Finalmente los chicos de Carón lo ence-
rraron en el féretro y lo condujeron al despacho
que ya no era el despacho de Mario sino su
cámara mortuoria. Y Mario dijo: "¿Por qué ahora?" Pero cuando llegó precipitadamente de la
Universidad ya se lo imaginaba todo. Tal vez
Bertrán. Las cejas casi le cubrían los ojos y le
daban una apariencia cavilosa y sombría, como
si el peso del cerebro supusiera una carga insufrible y aplastase los arcos de las cejas sobre sus
facciones, achatándolas. *Pero él ya se lo tenía*
bien tragado, imagina, en la vida le habíamos
mandado llamar, que yo sólo le dije: "papá", y él
quieto, callado, que a veces me asusta Mario,

Valen, que es un chico que se controla de más para la edad que tiene, y no es decir que yo no admire la entereza, que va, pero a los sentimientos también hay que darles su parte, que luego eso sale y es peor, pero él como si nada, como una estatua, igual, que yo le dije: "de repente. Ni se ha despertado. Luis dice que un infarto", y no me pude contener y me eché a llorar y le abracé, pero no te puedes imaginar qué sufrimiento, Valen, porque durante varios minutos era como si abrazase a un árbol o a una roca, ídem de lienzo, que él solo decía, ya ves qué salida: "¿por qué ahora?", pero de lágrimas, nada, cero al cociente, ya ves, un padre, cosa más natural, pues nada, como lo estás oyendo.

—Cría cuervos.

—Calla; ahora descansa.

Pío Tello se había conmovido. *Mario, desde luego, tenía un gran cartel entre la gente baja. La pena fue lo del ilustrísimo señor. Parece que no, pero un encabezamiento así, total dos palabras, viste a una esquela, Valen, no digas.* "Lo dicho". "Cuídate, Carmen, los pequeños te necesitan". "Cuando me lo dijeron no podía creerlo, te lo prometo". "Pero si yo misma…" Encarna la desbancó. La irrupción de Encarna fue un acto bárbaro y sin sentido. "Lo dicho". "Gracias, mona". Carmen se inclinaba y ambas cruzaban sus cabezas, primero del lado izquierdo; luego del lado derecho, y una y otra notaban los leves estallidos de los besos convencionales pero no su calor. Instintivamente ella aborrecía las esquelas funerarias, *que yo no pensaba ponerla en el portal, entiéndeme, que me horrorizan, que me parece de un gusto pésimo, pero ya ves, a la hora que ha sido, a la fuerza ahorcan, el caso es que la gente se entere, porque por él, ya lo sé, qué me vas a decir a mí, como un perro, bueno era, pero hay que guardar las apariencias, Valen, porque con que mañana salga "El Correo", con que el entierro es a las diez, no vas a adelantar nada, que muchos que van deprisa y corriendo a la oficina, ni enterarse, tenlo por seguro, total que le encargué media docena, una para aquí, otra en el Instituto, en "El Correo" y algún otro sitio, eso sin perjuicio de que lo anuncie la emisora después del Diario Hablado.*

Carmen sabía positivamente que el rescate de las últimas horas de Mario dependía de ella. El libro yacía allí, sobre la mesilla de noche y, bajo sus tapas, los últimos pensamientos de Mario, como enlatados. Cuando lograse liberarse de aquellos bultos pegajosos, Carmen se reuniría con él. Encarna constituía el obstáculo principal, pero Charo se la había llevado. Charo no aportó por allí hasta que los pequeños regresaron del Colegio. Había ido a buscarles. Borja llegó gritando: "¡Yo quiero que se muera papá todos los días para no ir al colegio!" Le dolía la mano. Carmen no sabía si por la paliza o por los insis-

tentes apretones de los bultos despiadados. Tenía
los labios tumefactos de tanto besar. "Lo dicho".
"¿Quién iba a figurarse una cosa así?" "¿A qué
hora es mañana la conducción?" Pero Encarna,
no. Encarna no había cambiado. Penetró como
un torbellino, braceando entre los asistentes.
Y voceaba: "Dios mío, que éste también se me
ha ido. ¡Éste también!" Y los grupos oscuros se
aplastaban y miraban y cuchicheaban y Encarna
ponía a todos por testigos de su soledad. Como
una loca. "Una mirada demencial", había dicho
Antonio. Y, luego, cuando se arrodilló, exclamó:
"¿Qué he hecho yo, Señor, para merecer este castigo?" Y los grupos se abrían y se cerraban, se
plegaban y se desplegaban. Cuchicheaban:
"¿Quién es?". Y el sentimentalismo acomodaticio
de las pupilas se trocaba ahora en avidez, se
empinaban para verlo mejor, les fascinaba el espectáculo. Pero de nada valieron las razones.
"Para Don Mario, ni hablar". Carmen insistía:
"¿Cómo no voy a pagarle las esquelas?" "No por-
fíe, señora, don Mario defendió a los pobres sin
hacerse rico, y esto, desengáñese, tiene un valor".
Ella cedió, aunque sabía que a Pío Tello no le
iban bien las cosas, en el húmedo sótano, con el
viejo chivalete de "El Correo", componiendo a
mano esquelas y pasquines. "No le hubo más
bueno que nuestro señor y ¡mírele ahí...!" Carmen la había cortado en seco: "No quiero escenas, Doro, ¡guárdese las lágrimas para mejor oca-

sión!" Resultaba inmoral que le llorasen las criadas y los cajistas y no le llorasen sus hijos: "¡No
quiero escenas, Doro! ¿Es que no me oye?" Y la
Doro se retiró a la cocina sonándose ruidosamente y secándose los ojos. El rumor crecía como el
del mar cuando se embravece. Las conversaciones se entrecruzaban y el humo de los cigarros
les sumergía en un ambiente viciado. "Hace calor". "¿Les parece que abramos un poco?" "La
atmósfera está muy cargada". "No le había mejor". "Abra". "Así, que no se forme corriente".
"Es muy mala la corriente". "El corazón es muy
tracionero, ya se sabe". "Yo le tengo miedo a la
corriente". "Pues a mi padre, ya ve, una corriente, no hubo más, que no es porque yo lo diga
pero en la vida había estado enfermo". "Lo
dicho". "Salud para encomendar su alma, doña
Carmen". Carmen se inclinaba, primero del lado
izquierdo y, luego, del lado derecho, fruncía los
labios y dejaba volar el beso, de manera que la
otra sintiera su breve estallido pero no su efusión. *Yo pienso que la hice daño, pero no lo
siento, ¿tú crees, Valen, con la mano en el corazón, que una hija puede dejar marchar así a su
padre, sin despedirse siquiera? Porque ella no
hacía más que chillar, como una histérica, lo
mismo, "¡por favor, que me horroriza, dejadme!",
pero la Doro y yo, con todas nuestras fuerzas,
que la hicimos abrir los ojos y todo, estaría bueno, que algún día me lo agradecerá".*

Carmen no sabía si rezaba o qué. Permanecía inmóvil, levemente encorvado, al pie de la caja y miraba a su padre con un implorante gesto de conmiseración. Fue Aróstegui quien dijo: "Era un hombre bueno" y, entonces, don Nicolás se volvió súbitamente hacia él: "Bueno ¿para quién?" Y Moyano, entre sus sucias barbas, murmuró: "No es un muerto; es un ahogado". Don Nicolás reparó en ella: "Disculpe, Carmen, ¿estaba usted ahí?" Pero ella no dijo nada porque aquellos hombres hablaban en clave y no les comprendía, ni Mario, en vida, se tomó la molestia de explicarle su lenguaje. "¿Le importa volver un poco la ventana?" "Así, gracias". "Ya se conoce el relente". "Ayer hacía frío". "Cuídate, Carmen, los pequeños te necesitan". "La atmósfera está muy cargada". "Cuando me lo dijeron no podía creerlo, si le vi ayer". "Pero si yo misma..." A Pío Tello le dijo: "Tome nota. ¿Ya? Rogad a Dios en caridad..." Por un momento Carmen tuvo la debilidad de sentirse protagonista y pensó: "por doña Carmen Sotillo", pero se rehízo a tiempo: "¿Sigo?" Pío dijo: "¿Es que no tenía don Mario tratamiento?" "No, ya ve. Sólo los directores". La voz del auricular sonaba irritada: "Otros con menos merecimientos los tienen". "Ya ve, las cosas, ¿qué quiere que yo le haga?" Pío Tello anotaba lentamente. Al terminar, Carmen insistió: "Una orla bien negra, Pío, por favor". "Descuide". Tan sólo el sentimiento fanático del luto y el libro sobre la mesilla de noche, la ligaban ahora a Mario. ¡Ah! y su cadáver. "No está descolorido. Si usted no lo dice, no me creo que esté muerto, se lo juro por mi madre". "¿Le importa volver un poco más la ventana?" "Hace verdadero frío". "Así, gracias".

—¿Está ahí el libro, Valen?

—¡Chist! Aquí está. No te preocupes, bobina. Ahora relájate, anda, te lo pido por lo que más quieras. Nadie te lo va a quitar.

Valentina se incorpora, le pone una mano en la nuca y le ayuda a tenderse de nuevo; luego, le cubre con la colcha blanca suavemente. Permanece de pie, Valentina, y observa en derredor, los lacios grabados de flores, el crucifijo sobre la cama y, a sus pies, la raída alfombra llena de huellas del tiempo, cubriendo un rectángulo de entarimado. Avanza despacio, silenciosamente por ella y se analiza, a la media luz de la habitación, en la luna del armario, primero de frente, luego de perfil, palpándose por tres veces el vientre levísimamente combado. Sus labios dibujan un gesto de desagrado. Al volverse, sus ojos tropiezan de nuevo con el libro, el tubo de Nasopit, el frasco de Sedanil, el pequeño manojo de llaves, el monedero y el viejo despertador. Suspira imperceptiblemente. Carmen ha vuelto a cubrirse los ojos con el antebrazo blanquísimo. Se sienta de nuevo:

—¿Estás ahí, Valen?

—Sí, mona, descuida, no me moveré de tu lado, te lo prometo, pero ahora relájate. Haz un esfuerzo, anda.

La Doro, con los párpados y la nariz enrojecidos denegaba obstinadamente: "¿Ni plástico ni nada le va a poner usted a nuestro señor?" "¡Huy madre, así parece cualquier cosa! En mi pueblo ni el más pobre, como lo oye. Y, ya ve, a don Porfirio, el Amo, le disfrazaron de franciscano". Carmen se enfureció con ella. Tenía por principio no aceptar lecciones de las criadas. *Todavía me parece mentira, fíjate; me es imposible hacerme a la idea.* "Me da gusto, Menchu, verte tan entera". Lo de Mario era excesivo. ¿Cómo casar la orla negra de seis cíceros de Pío Tello con su suéter azul? Los amigos se escondían en su hombro y le palmeaban la espalda sin miramientos, como si quisieran sacarle el polvo a su suéter azul. "Cierre del todo. Es mejor que cierre del todo". "Hace frío". "Es muy mala la corriente". "Así, gracias". "El corazón es muy traicionero, ya se sabe". "Lo dicho". "Una orla bien negra, Pío, por favor". Y no es que la agradasen las esquelas pero de perdidos, al río. *Y se me quedó plantado, delante, como haciéndome cara, te lo juro, que me asustó, "¿quién ha vuelto los libros?", "pues yo", le dije, y él dijo: "los libros eran él", ya ves qué salida, que así, tan llamativos, con esas pastas, no son luto ni cosa parecida, porque tú ya sabes, Valen, cómo hacen ahora los libros, que parecen cualquier cosa, cajas de bombones o algo así, que dan más ganas de comerlos que de leerlos, ésta es la verdad, que vivimos la época de los envases, hija, no me digas, que en todas las cosas vale más lo de fuera que lo de dentro, que es una engañifa y una vergüenza, figúrate en un caso así, tú dirás, con un muerto en casa y todo rodeado de colorines, al demonio se le ocurre, que yo, ya me conoces, tuve la santa paciencia de volver libro por libro, menos mal que los paños negros tapaban la mayoría, que si no, la mañana entera, como lo oyes, menuda trabajina, si no se ve no se cree. Y hay que ver las manos que me puse, la porquería que almacenan, para eso es para lo que sirven los libros, como yo digo, que lo que siento es no haberme dado cuenta a tiempo, que si me ayudan los chicos de la funeraria, figúrate, en un santiamén, claro que qué vas a pedir a esa gente, ni enterarse, a ver, natural, de detalles, cero, ellos atienden su oficio y adiós muy buenas, si te he visto no me acuerdo.* "En la vida he visto un muerto así se lo aseguro. Pero si ni siquiera ha perdido el color!" "¿No quieres pasar a verle, Valen? Te advierto que no impone nada". "De veras que no, bobina. Prefiero guardar un recuerdo de Mario vivo".

Los bultos llegaban y salían. El desagüe era permanente; una renovación higiénica. "No se puede parar del humo". "Podían guardar un

poco más de respeto". "Lo dicho". Carmen se
inclinaba, primero del lado izquierdo y, luego, del
lado derecho y besuqueaba sin el menor fervor,
rutinariamente. "Gracias, mona, te lo agradezco
en el alma". Los bultos traían unos ojos desorbi-
tados, enloquecidos, pero cuando algún otro bulto, sentado, suspiraba ruidosamente y murmura-
ba: "El corazón es muy tracionero, ya se sabe",
los bultos recién llegados y sus ojos se serenaban
y se uniformaban con los bultos y los ojos que
rodeaban el cadáver. Pero a pesar del buen color
—Mario es el muerto más saludable que fabri-
caron manos humanas— Mario no era Mario.
Carmen lo había advertido después de asearle.
No se parecía. Ella vacilaba. El muerto era un
muerto potable, conforme, incluso más grueso,
pero no era Mario. Repentinamente, como si
alguien, compadecido, la hubiera depositado en
su cabeza, le había asaltado la idea: ¡Las gafas!
Carmen fue a por ellas y se las puso. Entonces
advirtió la rígida palidez de las orejas. Complacida aún por la lucidez de su idea, se alejó cuatro pasos buscando una perspectiva favorable.
Pero no. La Doro caminaba tras ella como un
perro humillado: "O le abre los ojos o le quita
las gafas a nuestro señor. ¿Quiere decirme para
qué van a servirle con los ojos cerrados?" Los
bultos se empinaban y erguían los pescuezos:
"¡Mírame, Mario! ¡Estoy sola! ¡Otra vez sola!
¡Toda la vida sola! ¿Te das cuenta? ¿Qué es lo

que he hecho yo, Señor, para merecer este castigo?" Y los grupos bullían y cuchicheaban: "¿Quién es?"; "Menuda"; "Lo mismo es la querindonga"; "Por lo visto es su cuñada"; "No sé, no sé". Encarna estaba arrodillada y, a cada frase, vaciaba de aire sus pulmones. "Cierre del todo, casi es preferible". "¡Madre, qué voces!" Carmen no sabía qué hacer. "Así, gracias". Vacilaba: "¡Qué humareda!" Le quitó las gafas. "Tal vez tengas razón, hija. No se parece". Mario ya no estaba allí. Estaba en el libro y en el suéter negro que reventaban sus pechos agresivos, *no me digas, Valen, estos pechos míos son un descaro, no son pechos de viuda, ¿a que no?*, y en la orla negra de la esquela de Pío Tello y quizá en la iglesia, *ni tiempo de confesarse tuvo, ¡fíjate qué horror!* Antonio, el director, se adelantó del grupo y tomó a Encarna por las axilas. Ella se retorcía. Forcejearon. "Ayúdenme. Hay que sacarla de aquí. Esta mujer está muy afectada". *Figúrate ¡qué bochorno! ¡Ni que fuera ella la viuda! Que Encarna desde que murió Elviro andaba tras él, eso no hay quien me lo saque de la cabeza.* Al fin se la llevaron. Luis marchó con ella y Esther le ayudó a ponerla una inyección. Luego pidieron un taxi por teléfono y se fueron a casa de Charo. Vicente marchó con ellos. Poco a poco, Carmen volvía a sentirse viuda. "Lo dicho". "Cuídate, Carmen, los pequeños te necesitan". "Abra siquiera una rendijita; aquí no se

puede ni respirar". Los bultos entraban y salían.
Carmen estrechaba manos fofas y manos nervio-
sas. Se inclinaba primero del lado izquierdo y,
luego, del lado derecho y besaba al aire, al vacío,
al buen tuntún. "Gracias, querida, no sabes cuantísimo te lo agradezco".

—¿No han llamado?

Valentina posa una mano sobre las manos de
Carmen, que están frías y cruzadas sobre el regazo, agitadas de movimientos nerviosos:

—No te preocupes, bobina. Yo te avisaré. Ahora descansa. Relájate. Procura relajarte. Vicente
aún no ha vuelto.

Luis permaneció cerca de un cuarto de hora
encerrado con él. *Yo como si le estuviera confesando, y para mí que le estuvo haciendo el boca
a boca, tú me dirás, tanto tiempo, que inclusive
llegué a tener ciertas esperanzas, que me decía,
"lo mismo no está muerto", bobadas, figúrate.*
"No me parece un muerto. Talmente está como
dormido. Ni siquiera le ha bajado el color". Pero,
al cabo, salió Luis y dijo: "Un infarto. Debe
haber ocurrido sobre las cinco de la madrugada.
Es raro en un temperamento asténico como el de
Mario", *me parece que dijo asténico, ¿eh?, no
me hagas mucho caso, que ya sabes que yo para
eso de las palabras soy un desastre, pero, hija,
Luis con los ojos rojos, como de haber llorado,
que me emocionó, a ver, dime tú si no es de agradecer una cosa así, que los médicos, por regla*

general, ni sienten ni padecen, como suele decir-
se, están acostumbrados. "¿Le importa volver un
poco la ventana?" "Salud para encomendar su
alma, doña Carmen". "Ya se nota el relente".
"Así, gracias". "Lo dicho". "Señora, un telegrama". Carmen notó afluir el agua a la ternilla de
la nariz. Rasgó nerviosamente con el dedo uno de
los dobleces y, al leer el texto, sollozó. Valentina
la besó en la mejilla, directa, efusivamente, de
forma que ella sintiera el estallido del beso y
también su calor: "Sé valiente. No te vayas a
derrumbar ahora". Carmen la tendió el papel
azul: "Es de papá. ¡Pobre, qué rato estará pasando! No lo quiero ni pensar". Los bultos, con
los ojos ya más sosegados, iban marchando, pero
aún quedaban algunos aferrados al ataúd como
las moscas al papel matamoscas. "Lo dicho".
"¿A qué hora es mañana la conducción?". "Salud
para encomendarle". "¿Le importa abrir un poco
la ventana?; aquí no se puede parar". Humo y
murmullos. "¡Otra vez sola! ¡Toda la vida sola!
¿Qué es lo que he hecho yo para merecer este
castigo?" "Eso son convencionalismos, mamá; conmigo no cuentes". "Tome nota: 'Rogad a Dios
en caridad...'" ¿Por Carmen Sotillo? *Todavía me
parece mentira, Valen, fíjate; me es imposible
hacerme a la idea.* "Lo dicho". Carmen se inclinaba, primero al lado izquierdo; luego, al lado
derecho. Le dolían los labios y las mejillas de
tanto besar. También le dolían los cantos de la

mano derecha. Casi no podía reprimir un estremecimiento cada vez que se la estrechaban. Aunque siempre le repugnaron las manos fofas, ahora las agradecía, se entregaba a ellas con envilecedora fruición, como en adulterio. "¿Le importa volver un poco la ventana?" *Para mí que le estuvo haciendo el boca a boca, tú me dirás.* "Así, gracias. Me he agarrado un catarro que para qué". "Se mueren los buenos y quedamos los malos". "Bueno, ¿para quién?" "No es un muerto; es un ahogado". *Con los ojos rojos, como de haber llorado, que me emocionó, a ver, dime tú si no es de agradecer una cosa así.* "A don Porfirio, el Amo, le disfrazaron de franciscano, ya ve", *instintivamente notan que se ahogan y se vuelven...* "Lo dicho". "Menchu, mona, qué gusto me da verte tan entera". "Te prometo que no impone nada", *ni luto por su padre, ¿quieres más?* "Salud para encomendar su alma..." *Los libros en difinitiva no sirven más que para almacenar polvo...* "Está muy cargada la atmósfera aquí". "¿Le importa...?" *que los médicos, por regla general ni sienten ni padecen, como suele decirse...* "Lo dicho..." *"que yo me figuro como los peces cuando los sacan del agua..."* "Salud para encomendar su alma..."

Carmen se incorpora de golpe, tan violentamente que Valentina se asusta:

—Ahora sí que han llamado, no digas que no, Valen, lo he oído perfectamente.

—Bueno, mujer, ten calma. Será Vicente. Enseguida te vamos a dejar sola. No te alteres.

Carmen baja las piernas de la cama y al hacerlo se la recogen las faldas, y muestra unas rodillas demasiado redondas y acolchadas. Tantea con los pies sin agacharse y se calza los zapatos. Luego se atusa la cabeza, introduciendo los dedos de ambas manos abiertos entre los cabellos, ahuecándolos. Al concluir, se estira el suéter bajo las axilas, primero del lado izquierdo; luego, del derecho. Menea la cabeza enérgicamente, denegando:

—No tengo pechos de viuda, ¿verdad que no, Valen? —dice desalentada—. No me engañes.

Del recibidor llega un murmullo amortiguado de voces varoniles. Valentina se pone de pie:

—Mujer, no seas pesada —se vuelve hacia la mesilla de noche, hacia el libro y el tubo de Nasopit y el frasco de Sedanil y añade—: ¿Puedes decirme qué significa esta farmacia?

Carmen sonríe evasivamente:

—Mario. Ya le conocías —dice—. Muy bueno pero lleno de complejos. Si no se tomaba una píldora y se embadurnaba las narices, como yo digo, una y otra vez, no se dormía. Manías. Con decirte, que no te lo querrás creer, que una noche se levantó a las tres de la madrugada a buscar una farmacia de guardia, está dicho todo.

Valentina alza de golpe la cabeza con lo que la ráfaga albina de su cabello destella un momento como una estrella fugaz. Sonríe a su vez:

—Pobre —dice—. Mario era un hombre de lo más original.

Carmen se ha incorporado y se observa en el espejo. Se tira por dos veces, con rabia, del suéter bajo las axilas, primero del lado izquierdo; luego, del derecho:

—Estoy hecha una facha —murmura—. Con sujetador negro y con sujetador blanco estos pechos míos no son luto ni cosa que se le parezca.

Valentina no la escucha. Ha tomado el libro de la mesilla de noche y lo está hojeando:

—La Biblia —dice—. No me digas que también Mario leía la Biblia —reinicia su sonrisa y lee en voz alta—: "Marchad con paso firme por el recto camino: a fin de que alguno por andar claudicando en la fe no se descamine de ella, sino antes bien se corrija".

Carmen la observa con la cabeza gacha, como si asistiese a una inspección humillante. De vez en cuando, en un movimiento mecánico, se estira con los dedos el jersey negro por debajo de los pechos. Cuando habla, lo hace como excusándose:

—Él decía que la Biblia le fecundaba y le serenaba.

Valentina lanza una risita:

—¿Eso decía? ¡Qué divertido! Fecundarle, nunca oí una cosa tan graciosa, Menchu, te lo prometo. ¿Y los subrayados?

Carmen carraspea; se siente cada vez más empequeñecida. Agrega:

—Manías. Mario leía sobre leído, sólo lo señalado, ¿comprendes? Yo ahora —se la ablandan los ojos pero, paradójicamente, su voz se va afirmando—, cogeré el libro y será como volver a estar con él. Son sus últimas horas, ¿te das cuenta?

Valentina cierra el libro de golpe y se lo entrega a Carmen. El murmullo de voces crece en el vestíbulo. De improviso, cesa y, tras unos segundos de silencio, se oyen unos discretos golpecitos en la puerta de la habitación.

—Ya va —dice Carmen. E, instintivamente, se estira el suéter bajo los sobacos.

Se oye la voz de Mario:

—Es Vicente.

—Voy —dice Valentina—. Ya voy. Se aproxima a Carmen y la toma por la cintura: —¿De veras, bobina, que no quieres que me quede contigo?

—De veras, Valen, prefiero estar sola, si no te lo diría igual, ya me conoces.

Valentina se inclina, y ambas cruzan las cabezas, primero del lado izquierdo, luego, del lado derecho y besan con indolencia al aire, a la nada, de forma que una y otra sientan los estallidos de los besos pero no su calor.

En el pequeño vestíbulo, Vicente espera con el gabán puesto. Mario está a su lado, enfundado en su suéter azul. Carmen ayuda a Valentina a ponerse el abrigo y, luego, entre las dos, buscan la cartera a juego. Vuelven a cruzar las cabezas y a besar al aire, al vacío. "Adiós, mona, mañana a primera hora estaré aquí. ¿De veras que no quieres que me quede contigo?" "De veras, Valen, gracias por todo —se vuelve a Vicente—: ¿Y Encarna?"

Vicente carraspea. Los duelos no son su elemento. Se encuentra desplazado:

—Se durmió —dice—. Al fin terminó por dormirse. Luis dice que no despertará hasta mañana. Estaba imposible. Nunca he visto una cosa igual.

Mario mira a uno y a otra como si hablaran un idioma extraño y la traducción le resultase demasiado penosa. Al darle la mano, Valentina dice:

—Tienes cara de cansancio, Mario. Debes acostarte.

Mario no responde. Lo hace Carmen por él:

—Ahora se acostará —dice—. Ya están todos acostados.

—¿Y papá?

—Yo voy a quedarme con él.

Al fin marchan Valentina y Vicente y durante un buen rato se oyen los cautos tacones de Valentina descendiendo las escaleras y el adormecedor murmullo de la voz de Vicente. Carmen se encara con su hijo y le muestra el libro:

—Mario —dice—, acuéstate, te lo suplico. Quiero quedarme a solas con tu padre. Es la última vez.

Mario vacila:

—Como quieras —dice—, pero si necesitas algo, avísame; yo no podré dormirme.

Espontáneamente se inclina y besa francamente la mejilla derecha de Carmen. Ella siente una tibia, súbita humedad en los vértices de los ojos. Levanta los brazos y durante unos segundos le oprime contra sí. Al cabo dice:

—Hasta mañana, Mario.

Mario se va pasillo adelante. Tiene unos andares extraños, entre cansinos y atléticos, como si le costase dominar su propia fuerza. Carmen se vuelve y entra en el despacho. Vacía los ceniceros en la papelera y la saca al pasillo. Con todo, huele a colillas allí, pero no la importa. Cierra la puerta y se sienta en la descalzadora. Ha apagado todas las luces menos la lámpara de pie que inunda de luz el libro que ella acaba de abrir sobre su regazo y cuyo radio alcanza hasta los pies del cadáver.

I

*Casa y hacienda, herencia son de los padres, pero
una mujer prudente es don de Yavé* y en lo que a ti
concierne, cariño, supongo que estarás satisfecho, que
motivos no te faltan, que aquí, para inter nos, la vida
no te ha tratado tan mal, tú dirás, una mujer sólo para
ti, de no mal ver, que con cuatro pesetas ha hecho
milagros, no se encuentra a la vuelta de la esquina,
desengáñate. Y ahora que empiezan las complicacio-
nes, zas, adiós muy buenas, como la primera noche,
¿recuerdas?, te vas y me dejas sola tirando del carro.
Y no es que me queje, entiéndelo bien, que peor están
otras, mira Transi, imagínate con tres criaturas, pero
me da rabia, la verdad, que te vayas sin reparar en mis
desvelos, sin una palabra de agradecimiento, como si
todo esto fuese normal y corriente. Los hombres una
vez que os echan las bendiciones a descansar, un seguro
de fidelidad, como yo digo, claro que eso para vosotros
no rige, os largáis de parranda cuando os apetece y
sanseacabó, que las mujeres, de sobras lo sabes, somos
unas románticas y unas tontas. Y no es que yo vaya a
decir ahora que tú hayas sido una cabeza loca, cari-

ño, sólo faltaría, que no quiero ser injusta, pero tampoco pondría una mano en el fuego, ya ves. ¿Desconfianza? Llámalo como quieras, pero lo cierto es que los que presumís de justos sois de cuidado, que el año de la playa bien se te iban las vistillas, querido, que yo recuerdo la pobre mamá que en paz descanse, con aquel ojo clínico que se gastaba, que yo no he visto cosa igual, el mejor hombre debería estar atado, a ver. Mira Encarna, tu cuñada es, ya lo sé, pero desde que murió Elviro ella andaba tras de ti, eso no hay quien me lo saque de la cabeza. Encarna tiene unas ideas muy particulares sobre los deberes de los demás, cariño, y ella se piensa que el hermano menor está obligado a ocupar el puesto del hermano mayor y cosas por el estilo, que aquí, sin que salga de entre nosotros, te diré que, de novios, cada vez que íbamos al cine y la oía cuchichear contigo en la penumbra me llevaban los demonios. Y tú, dale, que era tu cuñada, valiente novedad, a ver quién lo niega, que tú siempre sales por peteneras, con tal de justificar lo injustificable, que para todos encontrabas disculpas menos para mí, ésta es la derecha. Y no es que yo diga o deje de decir, cariño, pero unas veces por fas y otras por nefas, todavía estás por contarme lo que ocurrió entre Encarna y tú el día que ganaste las oposiciones, que a saber qué pito tocaba ella en ese pleito, que en tu carta, bien sobrio, hijo, "Encarna asistió a la votación y luego celebramos juntos el éxito". Pero hay muchas maneras de celebrar, me parece a mí, y tú, que en Fuima, tomando unas cervezas y unas gambas, ya, como si una fuese tonta, como si no conociera a Encarna, menudo torbellino, hijo. ¿Pero es que crees que se me ha olvidado, adoquín, cómo se te arrimaba en el cine estando yo delante? Sí, ya lo sé, éramos solteros entonces, estaría bueno, pero, si mal no recuerdo, llevábamos hablando más de dos años y unas relaciones así son respetables para cualquier mujer, Mario, menos para ella, que, te digo mi verdad, me sacaba de quicio con sus zalemas y sus pamplinas. ¿Crees tú, que, conociéndola, estando tú y ella mano a mano, me voy a tragar que Encarna se conformase con una cerveza y unas gambas? Y no es eso lo que peor llevo, fíjate, que, al fin y al cabo de barro somos, lo que más me duele es tu reserva, "no desconfíes", "Encarna es una buena chica que está aturdida por su desgracia", ya ves, como si una se chupase el dedo, que a lo mejor a otra menos avisada se la das, pero lo que es a mí... Tú viste la escenita de ayer, cariño, ¡qué bochorno!, no irás a decirme que es la reacción normal de una cuñada, que llamó la atención, y yo achicada, a ver, que hasta parecía una mujer sin sentimientos, yo que sé, y Vicente Rojo "sacadla de aquí, está muy afectada", que me puso frita, te lo confieso. Con la mano en el corazón, Mario, ¿es que venía eso a cuento? ¡Si parecía ella la viuda! Me apuesto lo que quieras a que cuando lo de Elviro no llegó a esos extremos, que a saber qué hubiera tenido que hacer yo. Es lo mismo que cuando murió tu padre, Mario, que de siempre lo dije, el caso es ponerme en evidencia, que me dejó en mal lugar, no lo discutas. Para serte sincera, nunca me

gustó Encarna, Mario, ni Encarna ni las mujeres de su
pelaje, claro que para ti hasta las mujeres de la vida
merecen compasión, que yo no sé dónde vamos a
llegar, "nadie lo es por gusto; víctimas de la sociedad",
me río yo, que los hombres puestos a disculpar resultáis imposibles, porque lo que yo digo, ¿por qué no
trabajan? ¿Por qué no se ponen a servir como Dios
manda? Que el servicio desaparece no es ninguna novedad, Mario, cariño, y aunque tú salgas con que es
buena señal, que buen pelo hemos echado con tus
teorías, lo cierto es que cada vez hay más vicio y, hoy
en día, hasta las criadas quieren ser señoritas, para que
te enteres, que la que no fuma, se pinta las uñas o se
pone pantalones, yo qué sé. ¿Crees tú que esto es for-
malidad? Estas mujeres están destrozando la vida de
familia, Mario, así como suena, que yo recuerdo en
casa, dos criadas y una señorita para cuatro gatos, que
aquello era vivir, que cobrarían dos reales, no lo niego,
pero, comidas y vestidas, ¿quieres decirme para qué
necesitaban más? Pues bueno era papá para eso: "Julia,
ya está bien; deja un poco para que lo prueben también en la cocina". Entonces existía vida de familia,
daba tiempo para todo y, cada uno en su clase, todos
contentos. Ahora, tú me ves, aperreada todo el día de
Dios, si no estoy entre pucheros, lavando bragas, ya se
sabe; que una no puede dividirse y por mucha disposición que tenga, con una criada para siete de familia,
a duras penas se puede ser señora. Pero de estas
cosas los hombres no os dais cuenta, cariño, que el día
que os casáis, compráis una esclava, hacéis vuestro

negocio, como yo digo, que los hombres, ya se sabe, no tiene vuelta de hoja, siempre los negocios. ¿Que la mujer trabaja como una burra y no saca un minuto ni para respirar? ¡Allá se las componga! Es su obligación, qué bonito, y no es que te reproche nada, querido, pero me duele que en más de veinte años no hayas tenido una palabra de comprensión. Ya lo sé, tampoco has sido lo que se dice un marido exigente, es cierto, pero con no exigir no basta a veces, ya ves tu hermano Elviro, y no es que yo diga que Elviro, fuese un ideal de hombre, ni hablar, pero tu hermano era de otra pasta, dónde va, tenía detalles. ¿Recuerdas el portamonedas que me regaló la tarde que merendamos juntos en junio del 36? Aún le conservo, fíjate, en la cómoda creo que está, con un montón de trastos, me parece. ¡Y cómo se puso Encarna! Menuda, creí que le tragaba, palabra, que luego a los tres meses, cuando Elviro murió, bien que la pesaría. Tú hermano era delicado, Mario, y cualquier otro hombre con más arranques, simplemente con que fuera como tenía que ser, hubiera atado a su mujer más corto. Dios me perdone pero desde que los conocí, tengo entre ceja y ceja que Encarna se la pegaba, fíjate, no sé por qué, era mucho temperamento para él. Y conste que no me gusta hacer juicios temerarios, de sobra lo sabes, aunque luego sí, al enviudar, ella iba por ti, eso no hay quien me lo saque de la cabeza, pero con el mayor descaro, ¿eh? Y así me lo jures en cruz, nunca me llegaré a creer que el día de Fuima se conformase con una cerveza y unas gambas, y no por nada, que ya me conoces, que otra cosa no, pero me horroriza dramatizar. Pero, ¿lo quieres más claro? ¿Tú sabes que Valentina ayer, cuando me llevó a un aparte, me dijo, pero como te lo cuento, me dijo: "tu cuñada ni muerto le deja en paz"? ¿Qué te parece? ¿Es que todavía me vas a decir que son figuraciones mías? Porque por mucho que digas de Valen no me vayas a negar que inteligente lo es un rato largo, que no es hablar por hablar, pues ya lo oyes, "ni muerto le deja en paz". Claro que, bien mirado, la tonta fui yo, o no tonta, vete a saber, el caso es que una tiene principios y los principios son sagrados, ya se sabe, que te pones a ver y nada como los principios. ¡Anda que si yo hubiera querido! Con cualquiera, Mario, fíjate bien, con cualquiera. Mira Eliseo San Juan, el de la tintorería, sin ir más lejos, no hay vez, sobre todo si salgo con el suéter azul, que no se meta conmigo: "qué buena estás, qué buena estás; cada día estás más buena". Ni a sol ni a sombra, hijo, qué ceguera la de este hombre, que ya lleva años, que no es de hoy, y, como ése, otros que me callo, tonto del higo, que aún estoy para gustar, que no soy ningún vejestorio, qué te has creído. Los hombres todavía me miran por la calle, para que lo sepas, Mario, que vives en la luna, "un tipo vulgar ese San Juan", me río yo, cuántas no le harían ascos. Lo que pasa es que una tiene principios aunque hoy en día los principios no sirvan más que de estorbo, en particular cuando los demás no los respetan, que ésa es otra. "Un tipo vulgar ese San Juan", ¿qué te parece? Y luego, a la noche, ni caso, que no he visto hombre más apático,

hijo mío, y no es que a mí eso me interese especialmente, que ni frío ni calor, ya me conoces, pero al
menos contar conmigo, que los días buenos los desaprovechabas y luego, de repente, zas, el antojo, en los
peores días, fíjate, "no seamos mezquinos con Dios",
"no mezclemos las matemáticas en esto", qué fácil se
dice, que luego la que andaba reventada nueve meses,
desmayándose por los rincones era yo, que lo que es
tú, con tus clases y tus tertulias tenías bastante, a ver,
que así cualquiera. Y ¿quieres más? ¿Es que crees que
una es de cartón-piedra, que ni siente ni padece?
¿Es que no te dabas cuenta de mi humillación cada
vez que estaba gorda y me negabas? Armando hizo
muy requetebién, para que te enteres, nada de que es
un bárbaro, lo que pasa es que canta las verdades al
lucero del alba, qué es eso de ponerte tú al lado de
Esther, por muy intelectual que sea, que Armando
estuvo aquel día como las propias rosas, ya ves, "que
cada cual cargue con sus responsabilidades". Pero figúrate para mí qué bochorno, todo por puro capricho,
porque los días buenos no querías y en los malos, zas,
se te antojaba, que eso sí, luego te molestaba hasta mi
vientre. ¿Qué culpa tiene una de abultarse así, me lo
quieres decir? No, Mario, querido, nada de involuntario, ahora me sales con ésas, te pusiste junto a Esther
a ciencia y conciencia, no le demos más vueltas. Es
como lo de dormir con los niños, eso, ¿cuántas veces
me lo echaste en cara, di? Y ¿qué de particular tiene?
¿No es natural que teniendo tú la primera clase a las
once y estando yo bregando desde unas nueve, te

hicieras cargo del pequeñín? Sí, ya sé que son latosos, qué me vas a decir a mí, imagínate, un trago, pero es una cosa por la que hay que pasar, que los hombres a nada, unos mártires, que me gustaría a mí verte dando a luz, una y no más, Santo Tomás, en cuanto lo probases, a ver, como tu cuñada, que tampoco sabía lo que es eso, ella dice que Elviro, adivina. Pero como no lo sabe tiene que inventarlo y soltar la lengua y malmeterte conque si yo abuso de tu paciencia, mira quién fue a hablar, y que si no sé el marido que tengo, como si yo te llevara a la tumba o poco menos. Encarna tiene más conchas que un galápago, Mario, para qué te voy a decir otra cosa, aunque con vosotros, ya se sabe, cuanto más buena se es, peor, que los hombres sois todos unos egoístas y el día que os echan las bendiciones, un seguro de fidelidad, ya podéis dormir tranquilos. Me gustaría veros con una mujer sin principios, un poco ligera de cascos, ya te digo desde aquí que andaríais con más ojo, lógico, por la cuenta que os tiene, a ver.

II

En teniendo con qué alimentarnos y con qué cubrirnos, estemos con eso contentos. Los que quieren enriquecerse caen en tentaciones, en lazos y en muchas codicias locas y perniciosas que hunden a los hombres en la perdición y en la ruina, porque la raíz de todos los males es la avaricia, y por eso mismo me será muy difícil perdonarte, cariño, por mil años que viva, el que me quitases el capricho de un coche. Comprendo que a poco de casarnos eso era un lujo, pero hoy un Seiscientos lo tiene todo el mundo, Mario, hasta las porteras si me apuras, que a la vista está. Nunca lo entenderás, pero a una mujer, no sé cómo decirte, le humilla que todas sus amigas vayan en coche y ella a patita, que, te digo mi verdad, pero cada vez que Esther o Valentina o el mismo Crescente, el ultramarinero, me hablaban de su excursión del domingo me enfermaba, palabra. Aunque me esté mal el decirlo, tú has tenido la suerte de dar con una mujer de su casa, una mujer que de dos saca cuatro y te has dejado querer, Mario, que así qué cómodo, que te crees que con un broche de dos reales o un detallito por mi santo ya

estás cumplido, y ni hablar, borrico, que me he hartado de decirte que no vivías en el mundo pero tú, que
si quieres. Y eso, ¿sabes lo que es, Mario? Egoismo
puro, para que te enteres, que ya sé que un catedrático
de Instituto no es un millonario, ojalá, pero hay otras
cosas, creo yo, que hoy en día nadie se conforma con
un empleo. Ya, vas a decirme que tú tenías tus libros
y "El Correo", pero si yo te digo que tus libros y tu
periodicucho no nos han dado más que disgustos, a ver
si miento, no me vengas ahora, hijo, líos con la censura,
líos con la gente y, en sustancia, dos pesetas. Y no es
que me pille de sorpresa, Mario, porque lo que yo
digo, ¿quién iba a leer esas cosas tristes de gentes
muertas de hambre que se revuelcan en el barro como
puercos? Vamos a ver, tú piensa con la cabeza, ¿quién
iba a leer ese rollo de "El Castillo de Arena" donde no
hablas más que de filosofías? Tú mucho con que si la
tesis y el impacto y todas esas historias, pero ¿quieres
decirme con qué se come eso? A la gente le importan
un comino las tesis y los impactos, créeme, que a ti,
querido, te echaron a perder los de la tertulia, el Aró-
tegui y el Moyano, ese de las barbas, que son unos
inadaptados. Y no sería porque papá no te lo advirtiera, bueno es, que leyó tu libro con lupa, Mario, a
conciencia, ya lo oyes, y dijo que no, que si escribías
para divertirte, bien, pero que si pretendías la gloria
o el dinero lo buscases por otro camino, ¿te acuerdas?,
bueno, pues tú erre que erre. Y me explico que a otro
cualquiera no le hicieras caso, pero lo que es a papá,
un hombre bien objetivo que es, no me digas, que

colabora en las páginas gráficas de ABC yo creo que
desde que se fundó, hace muchísimo, y en otra cosa
puede que no, pero en eso de escribir, sabe la tecla
que toca, ¡vaya si sabe! Y yo misma, Mario, ¿no te dije
yo misma mil veces que buscases un buen argumento,
sin ir más lejos el de Maximino Conde el que se casó
con la viuda aquella y luego se enamoró de la hijastra?
Pues esos argumentos son los que interesan a la gente,
Mario, desengáñate, que ya sé que era un poco así, un
poquitín verde, vamos, pero cabría hacerle reaccionar
al protagonista en decente cuando ella, la hija, se le
entrega, y de este modo la novela quedaría inclusive
aleccionadora. Bueno, pues tú a tu cuento, por un oído
me entra y por otro me sale, a los dos años publicaste
aquello de "El Patrimonio", que era irresistible, te lo
digo de corazón, que es que no hay por dónde cogerlo,
porque ¿tú crees, Mario, que le puede interesar a
alguien un libro que pasa en un país que no existe y
cuyo protagonista es un sorche al que le duelen los
pies? Valentina se tronchaba comentándolo en el té
de los jueves; todas, lógico, que sólo Esther te echó
una mano, por la costumbre, a ver, por darse pote, que
a la legua se veía que tampoco lo había entendido.
Y es que esos soldados eran rarísimos, Mario, compréndelo. ¿Cómo pueden los soldados de dos ejércitos
enemigos saltar de las trincheras y abrazarse y decirse
que no volverían a dejarse empujar por AQUELLA
FUERZA? Tú ponías siempre en los libros palabras
con mayúsculas o con bastardillas, no sé porqué, que
Armando dice que porque hace bien, vete a saber,

pero el caso es que no se entendía una jota del libro
porque si los generales ven a sus soldados abrazarse
con los otros, los hubieran fusilado en el acto y con
toda razón además, fíjate. De entrada, eso ya era raro,
querido, pero era todavía más raro que el sorche dijera,
de repente, sin venir a cuento: "Dónde está ESA
FUERZA? ELLA no tiene cabeza, ni forma, ni sabe
nadie dónde se esconde" y, sin más explicación, todos
los soldados se asustan, vuelven a sus trincheras y empiezan a dispararse tiros otra vez. Sinceramente, cariño, ¿tú crees que esto tiene pies ni cabeza? La sandia
de Esther, en su afán de echarte un capote, que eran
símbolos, ya ves tú, como si ella supiera con qué se
come eso. Más razón tenía Higinio Oyarzun cuando
dijo una noche en el Círculo, que bien que le oí, que
me dejó helada, que el libro era la obra de un paci-
fista y de un traidor, que don Nicolás no tardó en
venirte con el cuento, que lo sé todo, dichoso don Nicolás que ni sé cómo le dejan dirigir un periódico, un
hombre que estuvo preso, casi un año, cuando la
guerra. Por mucho que te rías, Mario, don Nicolás es
un hombre de la cáscara amarga, no sé si de Lerroux
o de Alcalá Zamora pero significado y, desde luego,
muy rojo, de los peores, de los que no acaban de dar
la cara. Y buena está la gente bien con él, natural,
siempre tirando puntaditas y molestando, que debería
estar más corrido que una mona, ya ves tú, que aunque
no se debe odiar, yo le tengo una manía a ese hombre
que no le puedo ver, el daño que te ha hecho. Entre

él, el Aróstegui, el Moyano y toda la camarilla, te han puesto la cabeza del revés, cariño, que tú al principio no eras así, no me vengas ahora. Y, luego, aquella humareda, ¡Santo Dios! ¿Puede saberse qué es lo que hacíais allí, fumando tanto rato? Arreglar el mundo, fijo, que os quitabais la palabra de la boca, madre qué voces, y total para nada, cuatro tonterías, que si el dinero era astuto, que si el dinero era egoísta, ya ves tú, que lo único que no decíais del dinero era la pura verdad, Mario, que es necesario, y mejor nos hubiera ido si en vez de hablar tanto del dinero os hubierais puesto a ganarlo, como yo digo. Porque tú sabes escribir, querido, te lo digo y te lo repito, lo único los argumentos, que yo no sé qué maña te dabas, que ni escogidos con candil, eso cuando se te entendía, que cuando te ponías a hablar de estructuras y cosas de esas me quedaba in albis, te lo prometo. ¡Con lo que a mí me hubiera gustado que escribieras libros de amor! Ahí tienes un tema que llega, Mario, que el amor es un tema eterno, pues porque sí, porque es muy humano, porque está al alcance de todas las mentalidades. ¡Si me hubieras hecho caso! La historia de Maximino Conde, imagínate, un hombre maduro, casado en segundas con la madre y enamorado de la hija era un argumento de película, bueno, pues ni ese gusto, que el caso es llevar siempre la contraria. No quiero llorar, Mario, pero si echo la vista atrás y reparo en las pocas veces que me has hecho caso en la vida, no puedo remediarlo. ¿Es que tanto esfuerzo te hubiera costado ganar para un Seiscientos, di, pedazo de hol-

gazán? Porque yo no digo hace años, pero lo que es
ahora, si parece que los regalan, Mario, lo que se dice
todo el mundo, que el mismo Paco el otro día, ya ves,
"¿sabes conducir?", y yo, "muy poco, casi nada", a
ver qué iba a decirle, "no tenemos coche", y él venga
de darse coscorrones. "¡No, no, no!", que no se lo creía,
fíjate. Los niños se hubieran vuelto locos con un Seiscientos, Mario, y en lo tocante a mí, imagina, de cambiarme la vida. Pero no, un coche es un lujo, figúrate
a estas alturas, cualquiera que te oiga, lo mismo que la
cubertería. Veintitrés años, Mario, tras los cubiertos de
plata, que se dice pronto, veintitrés años esperando
corresponder con los amigos, que cada vez que les
invitaba, a ver, una cena fría, todo a base de canapés,
tú dirás, una no puede hacer milagros. ¡Qué vergüenza, santo Dios! A mí que siempre me horrorizó hacer
el gorrón, que yo recuerdo mamá, que en paz descanse,
todo lo contrario, "antes pecar por largueza", claro
que en casa era distinto, otro plan, sobre todo antes de
lo de Julia con Galli Constantino. Pero a ti siempre te
trajo sin cuidado que mi familia fuese así o asá,
Mario, seamos francos, que yo estaba enseñada a otra
clase de vida, que a veces pienso en la cara que pondría la pobre mamá si levantara la cabeza y mejor
muerta, como te lo digo. Habría que oírla: ¡Una criada con cinco criaturas! "La vida evoluciona, son otros
tiempos", ya, me río yo, son otros tiempos para nosotras, desgraciadas, por aquello de los buenos principios
que vosotros mientras, a hablar y fumar, ya se sabe, o

a escribir un rollo de ésos que no hay quien lo digiera, como si escribir fuese trabajar, Mario, porque no me digas a mí... Bien mirado, la tonta fui yo, que de novios ya pude ver de qué pie cojeabas. "Un duro a la semana; mientras no lo gane no tendré más", ya ves, qué bonito, que tu padre, no es que yo lo diga, cariño, que toda la ciudad andaba en lenguas, tenía fama de roñoso, y Dios me libre de pensar que lo fueras tú, pero si tú por tu formación o por lo que sea, no sentías necesidades, eso no quiere decir que no las sintiésemos los demás, que yo, hablando en plata, estaba acostumbrada a otra cosa, que no es que yo lo diga, que cualquiera que me conozca un poco te lo puede decir. Créeme, Mario, todavía me duelen las plantas de los pies de patear calles, y si llovía, a los soportales, y si helaba, al calorcillo de los respiraderos de los cafés. Sinceramente, ¿tú crees que ése era plan para una chica de clase media más bien alta? No nos engañemos, Mario, las cosas salen de dentro y tú, desde que te conocí, tuviste gustos proletarios, porque no me digas que al demonio se le ocurre ir al Instituto en bicicleta. Dime la verdad, ¿te correspondía eso a ti? Desengáñate, Mario, cariño, la bici no es para los de tu clase, que cada vez que te veía se me abrían las carnes, créeme, y no te digo nada cuando pusiste la sillita en la barra para el niño, te hubiese matado, que me hiciste llorar y todo. ¡Qué sofocón, cielo santo! Valen llegó un día con mucho retintín: "He visto a Mario con el niño", que yo no sabía donde meterme, te lo prometo, "ahora le ha dado por ahí, ya ves, manías", a ver qué otra cosa podía decirla. No quiero pensar que hicieras esto por humillarme, Mario, pero me duele que nunca lo consultases conmigo, se te antojaba y, zas, lo mismo que lo del método, que uno no se puede poner el mundo por montera, cada cual ha de vivir en sociedad como le corresponde. La categoría obliga, tonto de capirote, y un catedrático, no te digo que sea un ingeniero, pero es alguien, creo yo, que el mismo Antonio, cuando le hicieron director, aunque con mucha vaselina ya te lo vino a decir, que a buen entendedor, que la bici sobraba, pero tú erre que erre, que para ti no hay Antonios ni Antonias, como yo digo. Y aún te diré más, a mí no hay quien me quite de la cabeza que cuando Antonio te formó expediente, aparte otras razones, que yo no me meto, es porque te tomó un poco de manía, ya ves. Es lo mismo que con Bertrán, ¿tú crees que está ni medio bien que un catedrático se deje ver en público con un bedel? Pues naturalmente que no, botarate, que no parece sino que una fuese una rara, lo mismo que lo de poneros de palique, pues no señor, a lo sumo "buenos días" o "buenas tardes", no por nada, sencillamente porque son dos mundos, dos idiomas distintos. Bueno, pues tú venga de tirarle de la lengua, con que si ganaba mucho o poco, calentándole la cabeza, nada más que eso, que si en vez de preocuparte tanto por saber lo que ganaban los demás te hubieras preocupado un poco más de ganarlo tú, otro gallo nos cantara, que, en resumidas cuentas, si Bertrán ganaba poco, ¿cómo vas a comparar? Él, en su clase, puede ir en zapatillas, de cualquier manera, mientras que tú tienes que guardar las apariencias, a ver, a tono con tu categoría, por más que con esto de la ropa también me hayas hecho desesperar más que otro poco.

III

Prendiste mi corazón, hermana, esposa, prendiste mi corazón en una de tus miradas, en una de las perlas de tu collar, y sí, todo eso estará muy bien, Mario, que no lo discuto pero dime una cosa, anda, por favor, por qué no me leíste nunca tus versos ni me dijiste tan siquiera que los hacías? De no ser por Elviro, yo en la inopia, fíjate, pero es que ni idea, y luego resulta que hacías versos y Elviro me dijo que una vez dedicaste uno a mis ojos, ¡qué ilusión! Me lo dijo Elviro, ya ves, un día, sin venir a cuento, me dijo: "¿te lee Mario sus versos"?, y yo en la luna, "¿qué versos?", y él, entonces, me dijo, me lo dijo, te lo juro, "conociéndote no me choca que haya dedicado uno a tus ojos", que yo me puse colorada y todo, pero por la noche, cuando te los pedí, tú que nones, "debilidades, son blandos y sentimentales", que no sé a qué ton tenéis ahora tanta ojeriza a los sentimientos, hijo, que me sentó como un tiro tu desconfianza, para que lo sepas, y por más que insistí, que esos versos no eran para los demás, mira tú que salida, como si se pudiera escribir para nadie. Tienes muchas cabezonadas de ésas, cariño,

que es lo que yo digo, si las palabras no se las dices
a alguien no son nada, botarate, como ruidos, a ver, o
como garabatos, tú dirás. ¡Benditas palabras, la guerra
que te han dado a ti las palabras, que no es decir de
hoy, desde que te conozco! No lo creerás, Mario, que
bien calladito me lo tenía, pero si yo entraba a veces
donde la tertulia, que menuda humareda, hijo, era
por oir lo que decías, que a mí no me la dais, que
podéis decir misa, pero a mí no hay quien me saque
de la cabeza que hablabais de mujeres y cada vez que
yo aparecía cambiabais de conversación, que los hombres sois así, todos iguales. Y no sé si sería casualidad
o la contraseña, adivina, pero tú, cada vez que asomaba la nariz, ya se sabe, del dinero, que si era astuto
o si era egoísta, y si no era del dinero, de las palabras,
fijo, y mal, por supuesto, cosas raras, que si a los hombres Dios no les hizo malos pero las palabras les con-
fundían, que yo no saltaba de milagro, que ahí tienes
al hijo de la señora Felipa, sordomudo de nacimiento,
y todavía "que ¿qué?", pues ya ves, con un hacha a
su hermano, ¿te parece poco?, y tú "deja en paz esas
cosas", que siempre me ha dolido tu pobre concepto
de mí, Mario, como si yo fuera una ignorante o cosa
parecida. Pero todo te lo perdono menos que no me
leyeras tus versos, que aquí, para inter nos, te diré que
a veces pienso que los escribías para Encarna y pierdo
la cabeza, lo reconozco, porque una palabra que no se
dice a nadie es como salir a la calle dando voces al
buen tuntún, a ver, a lo loco, y tú entonces estabas
bien, que lo otro fue mucho más tarde y no es que yo

diga que lo otro fuese nada importante, que va, ni muchísimo menos, una pataleta de niño consentido, porque tu me dirás, si no te dolía nada, ni tenías fiebre, ¿qué clase de enfermedad era ésa? Te digo mi verdad, si de algo me arrepiento, es de haber estado veintitrés años pendiente de ti, como una mártir, que si yo hubiese sido más dura, otro gallo me cantara. Ya lo decía Transi, "¿qué es lo que ves en ese sietemesino?", y ¿sabes lo que veía, Mario, quieres saberlo?, pues un chico muy flaco, como hambriento de cariño, ya ves tú, con los ojos tristes y los tacones roídos, que destrozas el calzado, hijo, que contigo no hay zapato que resista y, luego, a cada vuelta, unas miradas que partías el corazón ¿eh?, y todavía más pena cuando el bárbaro de Armando se ponía los dedos en las sienes y mugía si íbamos con Paco Álvarez o con cualquier otro. Y Transi, "no me digas, hija, si parece un espantapájaros", que tú venga de mirar como un pobrecillo, que tienes unos ojos que engañan, Mario, te lo prometo, y yo con diecisiete años, tú me dirás, dos menos que Menchu, lo que se dice una niña, que a esa edad, ya se sabe, lo que más puede enorgullecer a una mujer es sentirse imprescindible, que recuerdo que yo me decía, "ese chico me necesita, podría matarse, si no", una tontería, desde luego, romanticismos. Luego sí, lo reconozco, me colé de medio a medio, como una tonta, que para sabido, que tú con tu cátedra y tus amigos tenías bastante, porque ¿para qué me necesitabas a mí, vamos a ver? Para lo que hacíamos cada semana, no, desde luego, para eso cualquiera, inclusive mejor otra

que yo; que yo, de sobras lo sabes, los días malos,
impasible y los buenos, para inter nos, eras como
un monstruo, que hay que ver cómo os ponéis, hala
a lo bruto, las cosas que decís, eso si no estabas pensando en otra, una obsesión, Mario, no lo puedo
remediar. Porque en la tertulia hablabais de otras,
Mario, no me lo niegues, que bien que le oí al Aróstegui ese, y parece un muchacho educado, ya ves, que
"la libertad era como una puta en manos del dinero",
mira qué palabritas, y ni disculparse cuando me vio,
por supuesto, claro que qué se le va a pedir, hechuras
de D. Nicolás, eso, que se creen que por ser jóvenes
ya tienen derecho a todo, avasallando, y tú que "un
joven rebelde", rebelde ¿de qué?, porque a ver de qué
se van a quejar, tú dirás, se les ha dado todo hecho,
viven en orden y en paz, cada día más regalados, que
todo el mundo lo dice, y tú chitón, o en clave, para no
perder la costumbre, "quieren voz" o "quieren responsabilidades" o "probarse; saber si saben convivir",
frases, porque ¿puedes decirme, cariño, qué es lo que
quieres decir con eso? Querer no sé lo que querrán, lo
que sí te puedo decir es que deberían tener más respeto y un poquito más de consideración, que hasta el
mismo Mario, tú lo estás viendo, y de sobras sé que
es muy joven, pero una vez que se tuerce, ¿puedes
decirme quién le endereza? Los malos ejemplos, cariño, que no me canso de repetírtelo, y no es que vaya
a decir ahora que Mario sea un caso perdido, ni mucho menos, que a su manera es cariñoso, pero no me
digas cómo se pone cada vez que habla, si se le salen

los ojos de las órbitas, con las "patrioterías" y los "fariseísmos", que el día que le oí defender el Estado laico casi me desmayo, Mario, palabra, que hasta ahí podíamos llegar. Desde luego, la Universidad no les prueba a estos chicos, desengáñate, les meten muchas ideas raras allí, por mucho que digáis, que mamá, que en paz descanse, ponía el dedo en la llaga, "la instrucción, en el Colegio; la educación, en casa", que a mamá, no es porque yo lo diga, no se le iba una. Pero tú les das demasiadas alas a los niños, Mario, y con los niños hay que ser inflexibles, que aunque de momento les duela, a la larga lo agradecen. Mira Mario, veintidós años y todo el día de Dios leyendo o pensando, y leer y pensar es malo, cariño, convéncete, y sus amigos ídem de lienzo, que me dan miedo, la verdad. No nos engañemos, Mario, pero la mayor parte de los chicos son hoy medio rojos, que yo no sé lo que les pasa, tienen la cabeza loca, llena de ideas estrambóticas sobre la libertad y el diálogo y esas cosas de que hablan ellos. ¡Dios mío, hace unos años, acuérdate! Ahora no le hables a un muchacho de la guerra, Mario, y ya sé que la guerra es horrible, cariño, pero al fin y al cabo es oficio de valientes, que de los españoles dirán que hemos sido guerreros, pero no nos ha ido tan mal me parece a mí, que no hay país en el mundo que nos llegue a los talones, ya le oyes a papá, "máquinas, no; pero valores espirituales y decencia para exportar". Y tocante a valores religiosos, tres cuartos de lo mismo, Mario, que somos los más católicos del mundo y los más buenos, que hasta el Papa lo dijo, mira en otros lados, divorcios y adulterios, que no conocen la vergüenza ni por el forro. Aquí, gracias a Dios, de eso, fuera de cuatro pelanduscas, nada, tú lo sabes, mírame a mí, es que ni se me pasa por la imaginación, ¿eh?, no hace falta que te lo diga, porque ocasiones, ya ves Eliseo San Juan, qué persecución la de este hombre, "qué buena estás, qué buena estás, cada día estás más buena", es una cosa mala, pero él lo dice por decir, a ver, de sobras sabe que pierde el tiempo, a buena parte va, ¡menuda! Y Eliseo no está nada mal, mira Valen, "como animal no tiene desperdicio", que es un tipazo, ya ves qué cosas, pero yo ni caso, como si no fuese conmigo, ni por Eliseo ni por San Eliseo, te lo juro. Los principios son los principios y Valen, por mucho que diga, más honesta que nadie, hablar por hablar, ya ves la otra noche tú, en su fiesta, no la dejaste ni a sol ni a sombra, que a saber dónde os fuisteis cuando salisteis del salón. No deberías beber así, cariño, que bebiste de más, y no sería porque no te lo advirtiese, "déjalo ya, déjalo ya", pero estabas imposible, y Valentina "ji, ji, ji", "ja, ja, ja", que es un cielo, Valen, cómo se adapta, y que te dejase, que estabas muy divertido, ¡ya!, pero cuando empezaste a disparar botellas de champán, desde el balcón, contra las farolas, te hubiese matado, fíjate, que no son formas, que yo cualquier cosa antes que perder los modales, es cuestión de educación, en casa me lo grabaron a fuego y ya ves. Pero el propio Antonio andaba desazonado, se lo dijo a Vicente, que ni se dio cuenta de que estaba yo, "me parece que Mario se está pro-

pasando", ya lo oyes, y ya sé que Antonio no es santo
de tu devoción, por lo del expediente, a ver, no digas
que no, eso está claro, pero di tú qué podía hacer él,
que es un chico bien bueno, digas lo que digas, de
derechas de toda la vida, mamá siempre lo decía, que
mamá, no es porque yo lo diga, tenía unos puntos de
vista muy originales y muy modernos, no sé cómo
explicarte, por ejemplo, yo la decía "ese chico me
necesita", por ti, lógico, y ella, "nena, no confundas el
amor con la compasión", figúrate la pobre, después de
lo de Julia con Galli, cualquier cosa, que, bien pensado,
lo de Julia fue una campanada de las gordas, sólo de
recordarlo me muero de vergüenza, ya ves. Claro que
tú, en seguida, con tu comprensión, que no sé por
qué tanta con unos y tan poca con otros, mira Antonio
y Oyarzun, y todavía Antonio, pase, pero con Higinio,
tú dirás, un muchacho que en la guerra se portó estu-
pendamente, abierto y simpático, como no hay dos,
bueno, pues "una tiralevitas y un correveidile", que en
eso os entretendréis en la tertulia, que no tendréis mejor cosa que hacer, como yo digo, que a los hombres
lo que os molesta es que llegue uno de fuera y os coma
la partida, que en definitiva es eso, un hombre que
llega con lo puesto y a los cuatro días, un Dos Caballos,
seamos sinceros, que eso es lo que no le perdonáis,
porque te pones a ver y Oyarzun trabaja como un
burro, que si no tiene cinco cargos tiene seis y por lo
menos tres de responsabilidad. ¿Qué importancia tiene
que llegara aquí sin dos reales? Higinio vale, y si, de
entrada, le cayó en gracia a Fito, miel sobre hojuelas,

que en la mano lo tuviste tú, tonto del higo, no lo
olvides, y por testarudez lo echaste todo a rodar, que
él bien que te tendió un cable y tú, haciéndote el loco,
como si nada, ni más ni menos, que, por si fuera poco,
luego te enconaste con él y acabaste de arreglarlo,
que si tú, entonces, te pones a buenas y le llevas con
un poquito de mano izquierda, nada más que eso, sabe
Dios dónde hubieras podido llegar. Pero ¿por qué
ponerte gallito? ¿No era un favor, en definitiva, lo que
Fito quería hacerte? Pues tú, no señor, "conmigo no se
juega", "yo no apuesto donde no puedo ganar", frases, que como testarudo no tienes precio, hijo, que
nunca te diste arte para ganar amigos, reconócelo, y
luego que estás solo, a ver qué quieres, los cuatro indo-
cumentados de la tertulia y para de contar. Y los amigos, ya lo decía la pobre mamá, que en paz descanse,
pueden valer más que una carrera, y tiene más razón
que un santo, Mario, a las pruebas me remito, tú me
dirás.

IV

Si hubiera en medio de ti un necesitado de entre tus hermanos, en tus ciudades, en la tierra que Yavé, tu Dios, te da, no endurecerás tu corazón, ni cerrarás tu mano a tu hermano pobre, sino que le abrirás tu mano y le prestarás con qué poder satisfacer sus necesidades. Transi fue la que me lo dijo, Mario, figúrate antes de hacernos novios, que ya ha llovido, que tu padre prestaba dinero a interés, claro que yo en esto ni entro ni salgo, que también lo prestan los bancos y es una cosa legal. Y a mí no me pareció mala persona tu padre cuando le conocí, te lo juro, que, sinceramente, iba dispuesta a lo peor y luego un infeliz, un poco chiflado, quizá, a lo mejor por lo de Elviro y José María, vete a saber, ¿recuerdas?, "fui yo quien no le dejó ir a la oficina. Salir ayer a la calle era una temeridad", y así todo el tiempo, que tu madre, muy entera, "¡a callar! ¿No me oyes, Elviro? ¡a callar!", pero él, dale que te pego, pesadísimo, como una cotorra, igual. A poco llegaste tú y, pisándote los talones, Gaudencio Moral, hecho una pena, todo rasgado y así, que acababa de pasarse de los rojos por el monte,

¿recuerdas?, y fue quien nos dijo lo de Elviro, vaya una tardecita, madre mía, duelo sobre duelo, que yo pensaba "¿qué hará Mario al verme?", en medio de todo me hacía ilusiones, pánfila de mí, total para nada, entraste y ni mirarme, sólo a tu madre, "Dios lo ha querido así; es como una catástrofe y nos ha tocado la china, tienes que sobreponerte", vaya una manera de consolarla, y yo, a todo esto, encogida en un rincón, como una pasmada, a ver. Después de mucho te volviste, que yo pensé "ahora", pero ya, ya, "hola" y ya está, siempre lo mismo, que a seco y despegado no te gana nadie, cariño. Y no es que yo pretendiera que me besases, que eso no te lo hubiera consentido ni a ti ni a nadie, estaría bueno, pero un poquirritín más efusivo, sí, que inclusive pensaba, por qué te voy a decir lo contrario, "me cogerá las dos manos y me las apretará. Al fin y al cabo es una desgracia tremenda", pero, sí, sí, "hola" y gracias. Es lo mismo que cuando acabó la guerra, al principio mucho mirarme en el cine, que yo extrañada, "¿tendré monos en la cara?", pero un buen día te pusiste gafas, que a buena hora si te veo antes, y ni eso. Y en el parque, por las mañanas, ídem de lienzo, no me digas, dale con el "amor mío" y el "cariño" como un disco rayado, cursiladas, que no se te podía ocurrir nada más original, hijo de mi vida, muchas poesías, pero para la novia la copla de siempre, que yo a veces, me decía, te lo prometo, "no le gusto; no le gusto ni pizca", toda preocupada, lógico. ¡Buena diferencia con los viejos!, si te contara. Gabriel y Evaristo no es que fueran muy viejos, pero en compara-

ción, y desde luego eran unos frescos, que la tarde que
nos llevaron al Estudio, a la buhardilla aquella, no
podía parar, el corazón paf, paf, paf, y Transi tan
tranquila, no te creas, quién la iba a decir a ella, se
bebió dos copas de pipermint, como si nada, y cuando
nos enseñaban los cuadros con las mujeres desnudas,
venga de comentar, "éste está muy bien resuelto" o
"éste es una maravilla de luz", la muy carota, que yo,
como te lo digo, ni despegar los labios, que me parecía todo una sinvergonzada. Y cuando pusieron de pie
todos los cuadros con las mujeres desnudas, la que más
con un collar o un clavel en el pelo, imagina, yo no
sabía dónde mirar, y, de repente, Gabriel me plantó
una manaza toda peluda en la pierna y "¿tú qué dices,
nena?", que yo rígida, palabra, me quedé sin respiración, lo que se dice ni pío, ni mover un dedo siquiera, que Gabriel "¿otra copita?", ya ves, que, mientras,
Evaristo, le pasó el brazo por los hombros a Transi y
que le gustaría hacerle un retrato, y Transi, como
si tal cosa, "¿como el de la chica del clavel en el pelo?"
y Evaristo para qué quería más, "ése", dijo, que Transi
se moría de risa, "pero un poco más vestida, ¿no?",
y Evaristo venga de reír también, "¿y eso por qué,
nena? Esto es arte, ¿no te das cuenta?" Pero Gabriel
no retiraba la mano ni por cuanto hay, que a mí me
daba rabia sentir que me iba poniendo colorada, date
cuenta, y cuando dijo, mirándome la poitrine con todo
descaro, "a ésta, uno de busto", menudo sinvergüenza,
creí que iba a estallar, que ya se lo dije a Transi en
la escalera "ni loca vuelvo a salir con los viejos, te lo

juro; son un par de aprovechados". Pero Transi entusiasmada, pásmate, como borracha, "Evaristo tiene talento y es muy simpático", la muy pava, que a Evaristo la que le gustaba era yo, se notaba a la legua, que cada vez que nos paraban en la calle y nos decían "ahora, ahora sois los verdaderos guayabitos; el verano pasado érais unas crías", me miraba a mí y no a Transi, pero con un desahogo que no veas cosa igual. Ahora, que ella crea lo que quiera, a mí plin, que al fin y al cabo eran dos viejos, figúrate que su quinta no la llamaron hasta final de la guerra, en febrero del 39, me parece, y entonces se enchufaron en oficinas militares, que ni fueron al frente ni nada, que eso, para mí, definitivo, ni les volví a mirar a la cara, palabra, que luego cuando tú y yo nos hicimos novios, Transi todo el día con ellos, que yo creo que ya andaba colada, fíjate, y una tarde se presentó en casa como loca, "Evaristo me está pintando un retrato", y yo, horrorizada, "¿desnuda?", y ella "no, mujer, ligerita, aunque a él le gustaría más del todo porque dice que tengo una figura muy bonita". Transi siempre fue un poco así, no te digo fresca, pero no sé, como impulsiva, que yo recuerdo sus besos cada vez que estaba algo pachucha, en la boca, ya ves, y como apretados, como de hombre, raros desde luego, "Menchu, tienes fiebre", decía, pero de cariño, ¿eh?, que los hombres sois muy mal pensados. Sin que salga de entre nosotros, te diré que a mí me hubiera gustado que me besaras más a menudo, calamidad, de casados, claro, se sobreentiende, pero ya desde novios fuiste frío conmigo, cariño, y eso que cada vez que te veía en pleno verano con el periódico, antes de decirte que "sí", en el banco de enfrente de casa, como si nada, te imaginaba mucho más fogoso, palabra. Pero un buen día te dije que "sí" y se acabó, mano de santo, como yo digo. Es cierto que todavía quedaba lo del cine, cuando me mirabas todo el tiempo, que yo pensaba, "¿tendré monos en la cara?", pero de repente te pusiste gafas, que menuda desilusión, y si te he visto, no me acuerdo. Yo creo que en eso te parecías a Elviro, de siempre lo he dicho, que a Elviro, por mucho que quiera, me es imposible imaginármelo haciendo el tonto con Encarna, con aquel aire tan superferolítico, tan flaco, que parecía como que un golpe de viento le fuera a tronchar, y, luego, tan encorvado, tan miope... Físicamente, tu hermano Elviro valía bien poquito, la verdad, infinitamente menos que José María, dónde va, que, como hombre, José María no estaba nada mal, el mejor de los tres, con mucho, y si contamos a las chicas, de los cuatro, porque no me digas, que Charo, la pobre, es un ser bien desapercibido, salta a la vista, para qué engañarnos, y mucho es por dejadez, como lo oyes, que a Charo la pones derecha, con un sujetador como Dios manda y la quitas unos filetes de las pantorrillas, que hoy día la cirugía estética hace milagros, mira Bene, y otra. Más difícil es lo de la voz, ya lo sé, tan delgadita, como un hilo, y pronunciando tanto, que parece como que hablara siempre con sordomudos, y mucho peor hoy, imagina, que se lleva ronca, como de hombre... Tu hermana no tiene mucho atractivo, Mario, las cosas claras, y además es roñosa, como tu padre, que otros defectos, pasen, pero el roñoso me abre las carnes, te lo prometo, es que no puedo. Desde luego, José María era el mejor, buena diferencia, me río sólo de acordarme cómo huía de él cada vez que me le tropezaba en la calle, que le conocía de Correos, ya ves, cosas de chicas, tú dirás, de ir a verle empaquetar, que Transi decía: "Está bárbaro; tiene una manera de mirar que marea". Y llevaba razón, Mario, no lo querrás creer, que yo no sé si eran sus movimientos, o sus ojos, o su manera de fruncir los labios, como una raya, pero tu hermano sin ser lo que se dice guapo era resultón, no sé cómo explicarte, que a veces pienso que no es posible que Elviro, José María y tú fueseis hijos del mismo padre y de la misma madre, menuda malicia se gastaba el pollo, era un algo especial, que ni Elviro ni tú habéis tenido nunca, qué sé yo, como si las pestañas suavizaran la mirada, como si acariciase sin tocar, yo me entiendo. Desde luego, tenía unos ojos bonitos José María, y no es que fueran muy claros, entiéndeme, pero el borde como amarillento de las pupilas le daba una expresión felina, que Transi decía, lo recuerdo como si fuera hoy, veinticinco años, fíjate, "traspasa como si fueran rayos X", y era verdad, que yo, mirarme y ponerme encarnada era todo uno, ¡qué poder!, hasta el día que se plantó y me dijo de sopetón: "¿No eres tú, pequeña, la chica que le gusta a mi hermano Mario?", que yo, no quieras saber, ni contestar, salí despepitada y no paré de correr hasta la Plaza, que Transi, sin dejarlo, "¿estás tonta?", pero yo ni sabía lo que hacía, como atontada, otro estilín que Gabriel y Evaristo, desde luego, pero mirarme José María y perder la cabeza era todo uno. Desde entonces, cada vez que me le encontraba en la calle, pescaba a correr y me metía en un portal, que él ni se daba cuenta, que si no, menuda, hubiera sido peor y Transi, la muy tonta, me viene una noche, "¿sabes lo que pienso? Que a ti el que te gusta es José María y no Mario", ya ves qué majadería. Una es muy complicada, desde luego, y como hombre, puede, una atracción, pero lo tuyo era otra cosa, no sé cómo explicarte, físicamente eras del montón, ya lo sabes, pero tenías algo, qué sé yo, tampoco para ponerse como Transi, una pesada, "échale, anda, ¿no le ves?, parece un espantapájaros", ni tanto ni tan calvo, que lo que ella quería era que se acercasen Gabriel y Evaristo, o el mismo Paco, que era un guasón, que estaba siempre de broma y era una juerga con él porque trabucaba las palabras, que me gustaría que le vieses ahora, otro hombre. A mí, Paco, para pasar el rato, pero nada más, que él sería divertido, no lo niego, pero su familia era un poco así, de medio pelo, ya me entiendes, y de que le escarbabas un poco enseguida asomaba el bruto. Y yo, otra cosa no, pero cada cual con los de su clase, buena era mamá, desde chiquitina, fíjate, al tiempo que a rezar, "casarse con un primo hermano o con un hombre de clase inferior es hacer oposiciones a la desgracia", date cuenta, y yo no estaba por la labor, que no es que vaya a decir que tú fueses un marqués, clase media, eso, más bien baja si quieres, pero gente educada, de carrera, que te confieso que con mamá anduve frita, menos mal que todavía estaba asustada con lo de Julia y Galli Constantino, y no me extraña, que lo de Julia fue una campanada de las gordas, menudo escándalo, pero mamá provenía de una familia muy acomodada de Santander, y hecha a lo mejor. Mamá era una verdadera señora, Mario, tú la conociste y, antes, ¡para qué te voy a decir!, que me gustaría que la hubieras visto recibir antes de la guerra, qué fiestas, qué trajes, un empaque que no veas cosa igual, no hay más que ver cómo murió, yo se lo decía a papá, "ha muerto como se duermen las actrices en el cine", pero igualito, ¿eh?, ni un mal gesto, ni un ronquido, fíjate, que eso del estertor parece de cajón, pues ni eso, como te lo digo, que yo temblaba cuando fue a conocer a tus padres y nada, "parecen buena gente", que yo respiré y aproveché para decirle lo de tu padre, Mario, lo de prestamista y eso, que no te debe molestar, creo yo, porque entre madre e hija ya se sabe, y yo con mamá más todavía, y ella arrugó un poco la nariz, un gesto muy suyo, Mario, que la hacía muy gracioso, "¿prestamista?", pero en seguida, al minuto, se rehizo, "con ese chico, ya todo un catedrático, puedes ser feliz, hija", como lo oyes, Mario, que yo me puse como loca, natural. Tú mirabas a mamá con prevención, Mario, a ver si no, pero eres un desagradecido porque ella siempre estuvo de tu parte, y el mismo papá si me apuras, que a papá sólo le preocupaban las ideas políticas de tu familia, y me lo explico muy bien, menudo nido, hijo, para sabido. Ya estaba bien con lo de prestamista, creo yo, y con lo de José María, que mi bochorno pasé, las cosas como son, que cuando se presentó Gaudencio con la noticia de Elviro casi me alegré, fíjate, bueno, alegrarme, no, por supuesto, qué tontería, pero me compensó, te lo aseguro, porque estaba harta, en la calle, "a tu cuñado lo han paseado por rojo", con segundas, a ver, pero yo tan terne, "y al mayor le han matado en Madrid, en la Cuesta de las Perdices, con dos días de diferencia, figúrate qué espanto". Y todas se quedaban heladas, Mario, te lo prometo, que yo casi disfrutaba, te doy mi palabra de honor.

V

Venid y ver las obras de Yavé, los prodigios que ha ejecutado él sobre la Tierra. Él es quien hace cesar la guerra hasta los confines de la Tierra. Él rompe el arco, tronza la lanza y hace arder los escudos en el fuego, aunque yo, por mucho que digáis, lo pasé bien bien en la guerra, oye, no sé si seré demasiado ligera o qué, pero pasé unos años estupendos, los mejores de mi vida, no me digas, todo el mundo como de vacaciones, la calle llena de chicos, y aquel barullo. Ni los bombardeos me importaban, ya ves, ni me daban miedo ni nada, que las había que chillaban como locas cada vez que sonaban las sirenas. Yo no, palabra, todo me divertía, aunque contigo ni entonces ni después se podía hablar, que cada vez que empezaba con esto, tú, "calla, por favor", punto en boca, que te pones a ver, Mario, querido, y conversaciones serias, lo que se dice conversaciones serias, bien pocas hemos tenido. La ropa te traía sin cuidado, el coche no digamos, las fiestas otro tanto, la guerra, que fue una Cruzada, que todo el mundo lo dice, te parecía una tragedia, total que como no hablásemos del dinero astuto o de las

estructuras y esas historias, tú a callar. Y con los niños,
tres cuartos de lo mismo, que había que verte, si yo te
contaba una ocurrencia de Borja o de Aránzazu, al
principio, bien, pero al minuto salías con que te preocupaba ese chico o que qué iba a ser de esa chica, siempre la misma copla, que me aburrías, cariño, con tus
tribulaciones. Don Presagios, como dice Valen con
mucha razón. ¡Si hubieras oído a Borja ayer! "Yo quiero que se muera papá todos los días para no ir al
Colegio". ¿Qué te parece? Pero así, como te lo estoy
diciendo, delante de todo el mundo, que me dejó parada, la verdad. Le pegué una paliza de muerte, créeme,
porque si hay algo que me pueda es un niño sin sentimientos, que son seis añitos, ya lo sé, no lo discuto,
pero si a los seis años no los corriges, ¿quieres decirme dónde pueden llegar? Bueno, pues tú con tus blandu-
ras, déjale, la vida ya le enseñará lo que es sufrir,
estamos buenos, consintiéndoles todo, riéndoles las gracias, que así pasa luego lo que pasa. Porque no me
vengas ahora con Álvaro, que lo de Álvaro y lo de la
misma Menchu no son más que niñerías, a ver qué
de particular tiene que un niño te pregunte si es verdad que tú y yo y Mario y Menchu, y Borja y Aran y
la tía Encarna y la tía Charo y la Doro y todos nos
vamos a morir, que tú, había que verte, un mundo,
cosa más natural en una criatura, "bueno, dentro de
muchísimos, muchísimos años", a ver a qué ton, que al
fin y al cabo un buen cristiano, por más que ahora
esté todo revuelto con eso del Concilio, debe meditar
en la muerte a toda hora y vivir pensando que ha de

morir, pues estaríamos arreglados. No me vengas con filigranas y métetelo en la cabeza, Mario, únicamente el miedo a la perdición eterna es lo que nos frena, que así ha sido siempre y así será, cariño, que ahora parece como que os disgustase que se predique sobre el infierno, que no tendréis la conciencia muy tranquila, creo yo, dichoso Concilio que todo lo está poniendo patas arriba, ya ves, la iglesia de los pobres, que buenos están los pobres como yo digo, y los que no somos pobres, ¿qué? Bueno, pues tú, dale con que era anormal que un niño tan chico pensase esas cosas, ya ves, como lo de llamar sotas a los soldados o marcharse al campo sólo a hacer una hoguera, ¿qué de particular tiene? "Hay que llevarle al médico", qué ocurrencia, imagínate si a cada niño que le dé la idea de hacer una hoguera hubiese que llevarle al médico, lo mismo que lo de Menchu con los estudios, a la niña no la tiran los libros y yo la alabo el gusto, porque en definitiva, ¿para qué va a estudiar una mujer, Mario, si puede saberse? ¿Qué saca en limpio con ello, dime? Hacerse un marimacho, ni más ni menos, que una chica universitaria es una chica sin femineidad, no le des más vueltas, que para mí una chica que estudia es una chica sin sexy, no es lo suyo, vaya, convéncete. ¿Estudié yo, además? Pues mira, tú no me hiciste ascos, que a la hora de la verdad, con todo vuestro golpe de intelectuales, lo que buscáis es una mujer de su casa, eso, y no me digas que no, que menudos ojos de carnero degollado me ponías, hijo, que dabas lástima, y, en el fondo, si me conoces en la Universidad hubieras hecho fu, como el gato, a ver, que a los hombres se os ve venir de lejos y si hay algo que lastime vuestro amor propio es tropezar con una chica que os dé ciento y raya en eso de los libros. Mira Paquito Álvarez sin ir más lejos, cada vez que empleaba mal una palabra y yo le corregía se ponía loco, aunque aparentase echarlo a broma, ya, ya, bromas, claro que Paco procedía de un medio artesano y encajaba mal los golpes, eso también es verdad. ¿Sabes lo que decía mamá a este respecto? Decía, verás, decía, "a una muchacha bien, le sobra con saber pisar, saber mirar y saber sonreír y estas cosas no las enseña el mejor catedrático". ¿Qué te parece? A Julia y a mí nos hacía andar todas las mañanas diez minutos por el pasillo con un librote en la cabeza y decía con mucha guasa, "¿veis como los libros también pueden servir para algo?" Pues, lo que oyes, saber pisar, saber mirar y saber sonreir, no cabe, me parece a mí, resumir el ideal de femineidad en menos palabras, por más que tú a mamá nunca la tomaste en serio, que es una de las cosas que más me duelen, porque mamá, aparte inteligente, que era excepcional, papá mismo lo dice, que no es cosa mía, tenía unos modales y un señorío que no se improvisan. A mí me maravillaba, te lo confieso, su facilidad para hacerse cargo de una situación y su tino para catalogar a un individuo, y todo pura intuición, que de estudios, nada, ya lo sabes, es decir se educó en las Damas Negras, y estuvo un año en Francia, en Dublín creo, no me hagas caso, pero sabía el francés a la perfección, lo leía de corrido, pásmate, igualito que el castellano. Y es lo que yo me pregunto, Mario, ¿por qué Menchu no puede salir a mamá? Pero contigo no hay razones, Mario, cada suspenso una catástrofe, "y eso que me tiene a mí en el masculino", dale, cuando de sobra sabes que hoy no es como ayer, que se está perdiendo hasta el compañerismo, que hoy el que aprueba tiene que saber más que el profesor, y si Menchu saca la reválida de cuarto la próxima convocatoria, ya está bien, que hay muchas que a los 18 años todavía no han empezado el grado, para que te enteres, ahí tienes a Mercedes Villar, y no es tonta. Y cuando acabe, si Dios me da medios, que ésa es otra, la lanzaré, en cuanto se quite el luto, fíjate, que no es cosa de desperdiciar los mejores años, pero nada de trabajar, otra manía que Dios te haya perdonado, Mario, porque, ¿desde cuándo trabajan las señoritas? Si en tu mano estuviera, la gente bien iríamos de tumbo en tumbo hasta confundirnos con los artesanos, que la niña no tendrá necesidad de eso, cariño, viviremos modestamente, eso sí, pero con una modestia digna, que más vale una modestia digna que un confort alcanzado a cualquier precio. El franchute ese, el Perret, o como se llame, os metió unas ideas estrambóticas en la cabeza, Mario, que el Aróstegui y el Moyano y el propio don Nicolás siempre miráis con la boca abierta todo lo que viene de fuera, que sois unos papanatas, y ya sé que en el extranjero trabajan las chicas, pero aquello es una confusión, ni principios ni nada, que debemos defender lo nuestro hasta con las uñas si fuera preciso. Los extranjerotes esos, con todos sus adelantos, nada tienen que enseñarnos, que si vienen aquí, como dice papá, es a comer caliente y nada más que a eso, que es una vergüenza las playas, y el Perret, si pudiera, ya daría marcha atrás en su país, y resucitaría el señorío, que a la legua se ve que viene de gente bien, pero como no puede, que se fastidien todos que es el camino más fácil. Recuerda el artículo de papá, que lo tengo recortado, una maravilla, cada vez que lo leo se me pone la carne de gallina, fíjate, y ese final, "máquinas, quizás no; pero valores espirituales y decencia, para exportar", que es la pura verdad, y tocante a valores religiosos, no digamos, Mario, cariño, lo que pasa es que ahora os ha dado la monomanía de la cultura y andáis revolviendo cielo y tierra para que los pobres estudien, otra equivocación, que a los pobres les sacas de su centro y no te sirven ni para finos ni para bastos, les echáis a perder, convéncete, en seguida quieren ser señores y eso no puede ser, cada uno debe arreglárselas dentro de su clase como se hizo siempre, que me hacéis gracia con esa campaña de "El Correo", que yo no sé como no lo cierran de una vez, la verdad, para que todos los chicos, ricos y pobres, puedan ir a la Universidad, menudo lío, que eso es una sandez, y perdona mi franqueza, algún día me darás la razón, que el don Nicolás ese, que Dios confunda, os está enredando a todos y, a la chita callando, está haciendo su juego, porque, por si lo quieres saber, él es de una extracción humildísima, su madre lavandera o algo peor, imagina, y aunque en el periódico, por la cuenta que le trae, dé una de cal y otra de arena, don Nicolás es un tipo torcido, de la cáscara amarga, te lo digo yo, no te importe que vaya a misa, para disimular, a ver, pero cuando la guerra, por si lo quieres saber, estuvo preso, y si no lo fusilaron fue por misericordia, que él, en lugar de agradecerlo, que es lo que debía de hacer, anda a lo suyo, malmetiendo a unos y a otros con su periodicucho y, por si fuera poco, Oyarzun dice ahora que es librepensador, lo que le faltaba, ya ves tú, que todas estas cosas las traman los librepensadores, Mario, desengáñate. Desde luego, cuando le destituyeron fue por librepensador, eso seguro, aunque luego el Moyano, en vez de afeitarse esas barbas asquerosas, saliera con una de sus gracias, que a mí no me hace ninguna, de que cómo iba a ser librepensador un hombre que mea agua bendita, ya ves que ordinariez. Precisamente los librepensadores se distinguen por eso, porque no lo parecen, se van metiendo sin darte cuenta y te dan el pego, que si fueran por ahí chillando a voz en cuello "yo soy librepensador", les cerrarían todas las puertas, lógico, como los comunistas, a lo suyo, ellos se meten, se meten y cuando te quieres dar cuenta te han comido la partida. Por eso y nada más que por eso, me dolía, cariño, que escribieses en "El Correo" en ese tono, porque a lo bobo, a lo bobo, estabas haciendo el caldo gordo a las fuerzas del mal, que todavía si te pagasen, pero, ya ves, veinte duros por artículo, una miseria, que no compensa, que, luego, cada vez que te veía comulgar me aterraba pensando que pudieras estar cometiendo un sacrilegio, fíjate, que nunca te lo dije,

porque hay cosas que no pueden conciliarse, Mario,
por ejemplo Dios y "El Correo", que eso es como
ponerle una vela a Dios y otra al diablo. Y ten por
seguro que don Nicolás, cada vez que comulga lo hace
en pecado mortal, porque don Nicolás es una mala
persona y si te entró por el ojo derecho es sencillamente porque te defendió cuando lo del guardia la
noche aquella, que aunque te pegase, ya ves tú, que
yo no me lo creo, la ley es la ley y si está prohibido
atravesar el parque en bicicleta, pues ya se sabe, que
lo mires por donde lo mires, el guardia cumplía con su
deber y si te hubiera matado, pues en acto de servicio,
fíjate, pues qué quieres que te diga, porque sí, porque
así son las cosas, porque las han establecido de esa
manera, y no será grave si quieres, pero has infringido
la ley, y el otro, con el uniforme, pues, a ver, tiene
que defenderla, para eso le pagan, que vosotros creéis
que una vez que se deja de ser niño se tiene derecho a
todo, y que va, estáis pero que muy equivocados, de
mayor hay que seguir obedeciendo como de pequeño,
claro que no al padre o a la madre, pero a la autoridad
sí, la autoridad hace las veces, ¡arreglados estaríamos
si no! Y digas lo que digas, Ramón Filgueira estuvo
hecho un caballero cuando te recibió, pero le sobraba
razón, anda, hijo, que si un alcalde no cree en sus
guardias, ¿quién les va a creer? Y lo que te dijo,
un guardia a las dos de la madrugada, y más con la
helada que estaba cayendo, es lo mismo que el Ministro de la Gobernación, a ver, si no, ¿quién? Y lo del
Cuartelillo y la Comisaría, lógico, a ver si te van a

recibir todavía con pétalos de rosas, qué cosas tienes, piensa en lo que harías tú si un alumno viniera a importunarte a esas horas, ¡echarle por la escalera abajo!, natural, somos humanos, y, sobre todo, si no te pusieras a corregir ejercicios a esas horas, ni te diera por andar en bicicleta, que tampoco te corresponde a ti, no hubiéramos tenido nada que lamentar. Dichosa bici, que cada vez que te veía en ella se me caía la cara de vergüenza y no te digo nada cuando pusiste la sillita para el niño, te hubiera matado, que me hiciste llorar y todo, botarate, que nunca has tenido la menor consideración por mí, a ver si no. Claro que las cosas salen de dentro y tú de siempre tuviste gustos proletarios, que no es ninguna novedad, pero me da rabia que terciase el don Nicolás ese, que no le trago, a ver quién le había llamado, y que si abuso de autoridad y que si atentado contra la dignidad humana, sabrá él, que la multa le sentó como por la mano, y si de mí dependiera, un correctivo más fuerte. Aceite de ricino, como en la guerra, te lo digo de verdad, a ver si escarmentaba de una vez, o el chisme ese de siete colas, como se llame, yo me entiendo, ese que utilizan los extranjeros para meter en cintura a los alborotadores.

VI

*En esto hemos conocido la caridad, en que Él dio
su vida por nosotros y nosotros debemos dar nuestra
vida por nuestros hermanos. El que tuviera bienes
de este mundo y viendo a su hermano pasar necesidad le cierra sus entrañas, ¿cómo mora en él la caridad
de Dios?... Si alguno dijere: "Amo a Dios" pero abo-
rrece a su hermano, miente. Pues el que no ama a su
hermano a quien ve, no ama a Dios a quien no ve,*
que es precisamente lo que siempre he sostenido, cariño, que tus ideas sobre la caridad son como para reco-
gerlas en un libro, y no te enfades, que todavía me
acuerdo de tu conferencia, ¡vaya un trago!, hijo mío,
que te pones a mirar, y no hay quién te entienda, que
te metías conmigo cada vez que iba a los suburbios a
repartir naranjas y chocolate como si a los críos de los
suburbios les sobrasen, válgame Dios, y no digamos la
tarde que se me ocurrió ir con Valen al Ropero. ¿Puede saberse qué es lo que te pasa? Siempre hubo pobres
y ricos, Mario, y obligación de los que, a Dios gracias,
tenemos suficiente, es socorrer a los que no lo tienen,
pero tú en seguida a enmendar la plana, que encuentras

defectos hasta en el Evangelio, hijo, que a saber si tus teorías son tuyas o del Perret ese de mis pecados, o de don Nicolás, o de cualquiera otro de la cuadrilla que son todos a cual más retorcido, no me vengas ahora. "Aceptar eso es aceptar que la distribución de la riqueza es justa", habráse visto, que cada vez me dabas un mitín, cariño, con que si la caridad solamente debe llenar las grietas de la justicia pero no los abismos de la injusticia, que lo que decía Armando, "buena frase para un diputado comunista", a ver, que a los pobres les estáis revolviendo de más y el día que os hagan caso y todos estudien y sean ingenieros de caminos, tú dirás dónde ejercitamos la caridad, querido, que ésa es otra, y sin caridad, ¡adiós el evangelio!, ¿no lo comprendes?, todo se vendrá abajo, es de sentido común. Quien más, quien menos, estáis todos envenenados, como yo digo, que me dan escalofríos cada vez que pienso que te has ido sin reconciliarte, y no porque piense que tú seas malo, que no, pero eres crédulo, eso, crédulo y un poco bobo, Mario, por qué no decirlo, porque, en cambio, lo que hace Cáritas te parecía muy bien, que no lo entiendo, la verdad, porque si algo ha hecho Cáritas en este sentido es impedirnos el trato directo con el pobre y suprimir la oración antes del óbolo, o sea, malmeter a los verdaderamente pobres, para que lo entiendas, y, por si fuera poco, restar oraciones, que yo recuerdo antaño, con mamá, deshechos, ¡Dios mío, qué espectáculos tan hermosos!, rezaban con toda devoción y besaban la mano que los socorría. ¡Vete ahora a intentarlo, anda, según están!

¿Y sabes quién ha tenido tanta culpa como vosotros?
¡Cáritas, para que te enteres!, que tira las cosas a voleo,
sin mirar antes quién lo merece, que lo mismo te ponen
la mano los vagos que los protestantes, lo mismo, un
desbarajuste, que eso es lo que no puede ser, estoy
cansada de decirlo. Y así les luce, que nunca he visto
a los pobres más maleados y no quiero pensar en el
día que dé la vuelta la tortilla, cuatro tiros de agradecimiento, eso, mal por bien, que por mí puedes seguir
con tus mítines, hijo, ya verás el pelo que echas, que
si Cáritas es necesaria mientras no se modifiquen las
estructuras, que a saber qué queréis decir, todo el día
de Dios a vueltas con las estructuras y ni vosotros
mismos sabéis con qué se come eso. Y mientras, don
Nicolás, frotándose las manos, que es lo que más rabia
me da, que le estáis haciendo el juego sin daros cuenta. Otras cosas sabrás, no lo discuto, pero tú de caridad, cero, Mario, convéncete, es lo mismo que cuando te pasabas las tardes con los presos, escuchando sus
historias, tú dirás qué provecho podías sacar de esa
gentuza, que si la sociedad les hace el vacío por algo
será, eso por descontado. Lo que pasa es que ahora
todo el mundo quiere empezar la casa por el tejado,
todos de Capitán General, como yo digo, pero Mario,
si no hay sorches, ¿quieres decirme para qué necesi-
tamos los capitanes generales? Y no me vengas con
que hablando y escuchando se puede hacer caridad
y que la caridad no consiste en dar sino en darse, que
tú por una frase eres capaz de vender tu alma al diablo, como yo digo, dichosa petulancia, como eso de

poner en los libros frases con bastardilla o con mayúsculas sin ser nombres propios ni nada, que no tiene
sentido por más que Armando diga que siempre hace
bien, que él lo dice por guasa, por chufla, a ver, que
siempre está de broma, ya le conoces. Es lo mismo
que lo del lechazo de Hernando de Miguel, cosa más
natural, una atención, a ver, si el chico no estaba pre-
parado, y encima se viene desde Trascastro con él a
cuestas, y tú le recibes a voces, que tampoco son maneras, me parece a mí, para terminar tirándole el lechazo
por el hueco de la escalera, que le diste en mitad de
la espalda, para haberlo matado, que era un animal
de cuatro kilos lo menos, una pena. ¿A qué ton esas
salidas, Mario, cariño? La caridad empieza por uno
mismo, y los niños, tú lo sabes, no andan sobrados de
carne, que con tanto subir los salarios hay que ver el
precio que tiene, que cuando escribís no os dais cuenta de lo que hacéis, cabeza dura, mira Armando en la
fábrica, las bases, y lo que él dice, "yo no voy a ser
más papista que el Papa", bueno, pues cuatro kilos por
el hueco de la escalera, porque sí, a ver qué daño
hacíamos a nadie cogiendo ese lechazo. Es como lo
de las botellas y las tartas, que si la gente quiere tener
detalles ¡deja a la gente!, no hagas caso de la pánfila
de Esther, que con eso de que lee libros se cree
alguien, vaya un oráculo que te has echado, hijo, "los
hombres como Mario son hoy la conciencia del mundo", me río yo, que me gustaría a mí que hubiera
visto a la conciencia del mundo hecha un lío con que
si no aceptar el lechazo era ofender al prójimo y, acep-

tarlo, admitir la corrupción, que, a decir verdad, yo no
sé para qué pensáis tanto si las cosas son tan sencillas,
y si pensabas así y los niños necesitaban vitaminas,
¿a qué le tiraste el lechazo a Hernando de Miguel si
puede saberse? Luego, cuando te vino eso, la distonía
o la depresión o como se llame, llorabas por cualquier
pamplina, acuérdate, hijo, ¡vaya sesiones!, y que si la
angustia te venía de no saber cuál es el camino, ni con
qué haces daño o dejas de hacerlo, cuando hasta el
niño más niño sabe que un golpe en las costillas con
un lechazo de cuatro kilos puede ser mortal, que le
pudiste matar, Mario, desengáñate, y que me envidiabas a mí y a todos los que como yo estábamos seguros
de todo y sabemos a dónde vamos, que si eso fuese
cierto, bendito sea Dios, ¿por qué no has seguido mi
ejemplo y has dejado en paz a don Nicolás y a toda
su corte de charlatanes? Pero qué va, en el fondo esa
humildad es orgullo, Mario, y vengan píldoras, píldoras para la soberbia, como yo las llamo, que, en definitiva no son más que drogas, que te quitan inclusive
las voluntades. Y Luis me oyó, pues no me iba a oir,
que los médicos se creen que pueden jugar a capricho
con los enfermos y, por primera providencia, lo de la
depresión lo dijo con retintín, que fue cuando yo salté,
qué otra cosa iba a hacer, "Mario no tiene motivos para
estar deprimido; come bien y me ocupo de él más de
lo que puedo", se lo solté, claro que se lo solté, como
le solté lo de las píldoras, que me despaché a mi gusto,
Mario, y no me pesa, te lo juro. Pero, las cosas como
son, cuando estuviste así, créeme, es cuando la casa

anduvo mejor, que tú no te metías en nada, y ya se
sabe que los hombres, en estos asuntos, estorbáis más
que otra cosa. Lo único, las llantinas, me desgarrabas
el corazón, ¿eh?, llorabas como si te mataran, madre,
¡qué hipo!, imponías, Mario, y como no habías llorado
nunca, ni cuando murieron tus padres ni nada, que
luego eso salió, a ver, pues yo me asusté, la verdad, y
se lo dije a Luis, y Luis me dio la razón, Mario, para
que lo sepas, que "exceso de control emotivo e insa-
tisfacción", que me acuerdo como si fuera hoy que yo
le dije, "¿qué?", y él, muy amable, me lo explicó, que
es apasionante eso de la psiquiatría, fíjate, por más
que a mí nadie me saque de la cabeza que cuando os
ponéis así, sin fiebre y sin doleros nada, eso son mimos
y tonterías. A ver si no, Mario, que tú siempre has
sido como un niño chico, aunque luego estudiaras tanto
y escribieras esas cosas que, no sé, a lo mejor estarían
bien, no lo discuto, pero desde luego eran una tabarra,
francamente, a ver por qué te voy a engañar y decirte
una cosa que no siento. De ordinario, las personas que
piensan mucho, Mario, son infantiles, ¿no te has fija-
do?, ya ves don Lucas Sarmiento, gustos sencillos y
unas teorías absurdas sobre la vida, como filosóficas o
qué sé yo. Y eso te ocurría a ti, cariño, y le ocurrirá
a Mario si Dios no lo remedia, que ese chico con tanto
librote y esa seriedad que se gasta no puede ir a buena
parte. Yo ya se lo advierto, pero como tú no me apo-
yas, "déjale, tiene que formarse", lo mismo que si
hablase con las paredes, ni enterarse, ya ves la otra
tarde sin ir más lejos, le pongo un batido a Álvaro,

con huevo y todo y va el otro, alarga la mano y se lo bebe, pero sin dejar de mirar al libro, que me puso de mal humor, la verdad, que la vida está por las nubes y Mario ya está suficientemente alimentado, anda que por gusto todos tomaríamos batidos a cualquier hora, imagina. Pero Álvaro es otra cosa, entiéndeme, no es que yo diga que por irse a los montes a prender hogueras haya que sobrealimentarle, pero está tan flaco, no tiene más que la piel y los huesos, Mario, que me preocupa ese chico, la verdad, que le viene cualquier cosa, le coge sin defensas y sanseacabó. Mamá decía, "más vale prevenir que curar", ¿te das cuenta Mario? Y no es que yo tenga predilección por Alvarito, que sois muy maliciosos, me cae en gracia, pero nada más, a lo mejor por el nombre, vete a saber, ¿recuerdas que ya de novios te decía "me encantará tener un hijo para llamarle Álvaro"? Ha sido una manía de siempre, yo creo que desde que nací, fíjate, que es un nombre Álvaro que me chifla, que no es decir que Mario me disguste, al contrario, me parece un nombre muy masculino y así, pero lo otro es debilidad, yo misma lo comprendo. Me río sólo de pensar lo que hubiera sido esta casa si te dejo a ti elegir los nombres, no quieras saber, un Salustiano, un Eufemiano y una Gabina, cualquier cosa, con tus aficiones proletarias no quieras saber, como lo de poner a los chicos los nombres de la familia, habráse visto costumbre menos civilizada. ¿Quieres decirme qué hubiese hecho yo en casa con un Elviro y un José María, cosa más vulgar, por mucho que les hubieran matado? Pasé por Mario

y Menchu, que, al fin y al cabo, eran los nuestros, pero
¿a qué más? Habiendo nombres tan bonitos como
Álvaro, Borja o Aránzazu, lo otro no tiene sentido,
reconócelo, lo que pasa es que vivís en la Edad Media,
hijo, y perdona mi franqueza, mira la gente bien, y es
natural, Mario, cariño, que un nombre imprime carácter, que es para toda la vida, que se dice pronto. Mira,
ahí tienes una cosa de la que deberían ocuparse en el
Concilio, que todos serán nombres de santos, no digo
que no, pero en vez de salir a gresca diaria y con esas
colaciones de que los judíos y los protestantes son buenos, que sólo nos faltaba eso, pues revisar el santoral,
pero a fondo, sin contemplaciones, este nombre vale y
éste no vale, que la gente sepa a qué atenerse en este
punto. Bien mirado, todo está ahora patas arriba, Mario, que a este paso cualquier día nos salen con que los
malos somos nosotros, visto lo visto, cualquier cosa...
Y así nos crece el pelo, que te pones a ver y hasta los
negros de África quieren ya darnos lecciones cuando
no son más que caníbales, por más que tú vengas con
que no les enseñamos otra cosa, que mira papá qué
bien enfocó el problema por la tele la otra noche,
había que oir a Valen. Una cosa, Mario, aquí, para
inter nos, que no me he atrevido a decirte antes, escucha; yo no daré un paso por informarme si es cierto
lo que dice Higinio Oyarzun de que te reunías los jueves con un grupo de protestantes para rezar juntos,
pero si sin ir a buscarlo alguien me lo demostrase, aun
sintiéndolo mucho, hazte a la idea de que no nos hemos
conocido, de que nuestros hijos no volverán a oirme

una palabra de ti, antes prefiero, fíjate bien, que piensen que son hijos naturales, que con gusto tragaré ese cáliz, que decirles que su padre era un renegado. Sí, Mario, sí, estoy llorando, pero bueno está lo bueno, que yo paso por todo, ya lo sabes, que a comprensiva y a generosa pocas me ganarán, pero antes la muerte, fíjate bien, la muerte, que rozarme con un judío o un protestante. Pero ¿es que vamos a olvidarnos, cariño, de que los judíos crucificaron a Nuestro Señor? ¿Adónde vamos a parar por este camino, si me lo puedes decir? Y, por favor, no me vengas con historias de que a Cristo le crucificamos todos, todos los días, cuentos chinos, que si Cristo levantara la cabeza, da por seguro de que no vendría a rezar con los protestantes, ni a decir que los pobres vayan a la Universidad, ni a comprar *Carlitos* a todos los vagos de Madrid, ni a ceder la vez en las tiendas, ni, eso fijo, a tirar lechazos a Hernando de Miguel por el hueco de la escalera. Tenéis un concepto muy pobre de Cristo, a lo que veo, querido. Yo no soy blanda, Mario, ni mucho menos, y si Cristo volviera, ten el convencimiento de que yo sacaría la cara por él aunque el mundo entero se me pusiese enfrente, no haría la de San Pedro, eso ya te lo aseguro, que, aunque mujer, no soy blanda, mira cuando acabó la guerra, el año del hambre, no creas que me eché atrás, que va, por los pueblos más cochambrosos en el coche del tío Eduardo, con gasógeno y todo, a ver, buscando de comer para mis padres. Yo doy el pego, Mario, te lo he dicho muchas veces, pero tengo más fibra de la que aparento.

VII

Han sido echados al fuego y devorados por las llamas los zapatos jactanciosos del guerrero y el manto manchado de sangre. Porque nos ha nacido un hijo que tiene sobre su hombro la soberanía y que se llamará Príncipe de la Paz y, no sé si diré una barbaridad, porque con vosotros, hijos, nunca se sabe, pero yo lo pasé divinamente en la guerra, por qué voy a decir otra cosa, con las manifestaciones y los chicos y todo manga por hombro, ni me daban miedo las sirenas ni nada, que otras, no veas, como locas en los refugios en cuanto empezaban a sonar, que yo la gozaba. Recuerdo que mamá nos hacía ponernos medias y peinarnos a Julia y a mí para bajar al sótano de doña Casilda, imagina, que a veces nos cogían los bombazos y las ametralladoras en plena escalera y era una risa, los tropezones. Luego, en el refugio, era divertidísimo, figúrate lo que es todos los vecinos reunidos, que había una tal Espe, la del sotabanco, viuda de un ferroviario, que era una rojaza de espanto, con decirte que los primeros días la pelaron al cero, que todo se la volvía decir "esto es el fin" y se santiguaba, date cuenta, pero con los ojos en blanco, que recuerdo que papá la decía con mucha sorna: "¿De qué se asusta, Esperanza? Son los suyos que la traen recuerdos". Tendrías que haberla visto, Mario, ¡qué juerga!, con un pañolón negro horrible por la cabeza, retorciéndose de miedo, "¡ay, calle usted, por Dios, don Ramón, es una cosa horrible esta guerra!", que papá, con segundas, lógico, "mucho se acuerda usted de Dios esta temporada, Esperanza", figúrate, en tiempos normales ni a misa, que va, socialista, pero de las más significadas, que papá, con lo que es, venga a hablarle de las guerras defensivas, todo un tratado, que la pobre Espe, al final, "ay, don Ramón, si usted que tiene tantos conocimientos lo dice, será así". Y a todo esto, los niños de Teresita Abril, que entonces eran unos mocosos y hoy, figúrate, unos hombrones, todos casados, ¡cómo pasa el tiempo!, Miguel, el más chico, siete hijos, que hay que ver, parece mentira, entonces, tú los verías, armando un barullo infernal entre las botellas y los envases, que el bueno de Timoteo Setien, el marido de doña Casilda, todo se le volvía ir y venir, con el delantalón gris y las manos en la cabeza, "cuidado, mucho cuidado, hay materias inflamables aquí", y ¡qué va!, para que parasen quietos, ya te puedes figurar, jabón, chocolate, castañas pilongas y para de contar. Pero el bueno de Timoteo era de los del puño en rostro, madre mía qué hombre tan tacaño, que recuerdo que cada vez que mamá pagaba la cuenta, que era un renglón, y Julia y yo éramos aún niñas, doña Casilda nos daba un caramelo a escondidas, "guárdalo, que no lo vea él", ver-

dadero terror, que a mí no hay cosa que más me repela
que un hombre roñoso, me espantan, te lo prometo,
que cuando Transi me dijo lo de tu padre, lo de prestamista y así, me eché a temblar, Mario, como te lo
digo. Y, después, la verdad sea dicha, apenas se le
notaba, no sé si por lo de Elviro y José María, pero
de dinero, nada, sólo aquello de que él tuvo la culpa,
que fue él quien no le dejó ir a la oficina, que era
una locura salir a la calle aquel día, obsesionado, una
tontería, ya ves, que tu hermano estaba fichado desde
mucho antes, Mario, reconócelo. Oyarzun, que está
enterado de todo, yo no sé de dónde saca el tiempo,
me ha dicho que lo de la oficina era lo de menos, que
había testigos que vieron a José María en el mitin de
Azaña en la Plaza de Toros y en abril del 31 dar vivas
a la República, agitando la bandera tricolor como un
loco, Mario, que eso es todavía peor. Las cosas de la
vida, como yo digo, que en casa el 14 de abril, como
un funeral, que a papá sólo le faltó llorar y todavía no
estoy muy segura de que no lo hiciera, todo el día
de acá para allá, de la butaca al despacho, del despacho a la butaca, como alelado. El pobre papá se echó
diez años encima ese día, que para él, el rey era el no
va más, más que cualquiera de nosotros, fíjate, más
que toda la familia junta, que es veneración lo de papá
por la monarquía, un culto. Y en cuanto se confirmó lo
de la República, se levantó, muy pálido, muy solemne, no sé cómo explicarte, se fue al cuarto de baño
y volvió con una corbata negra: "No me quitaré esta
corbata mientras el rey no vuelva a Madrid", dijo,

que todas calladas como si se hubiera muerto alguien.
Luego tú, qué gracia, te creías, que lo de la corbata
era por mamá que en paz descanse,· que va, Mario, por
el rey, que a mí me emocionan los hombres fieles a
una idea limpia, porque la Monarquía es bonita, Mario, por más que digas, que no es que yo sea tan apa-
sionada como papá, pero date cuenta, un rey en un
palacio y una reina guapa y unos príncipes rubios y las
carrozas, y la etiqueta y el protocolo y todo eso. Tú
decías que monarquía y república, por sí mismas, no
significaban gran cosa, que lo importante es lo que
hubiera debajo, que a saber qué quieres decir, pero lo
que desde luego te anticipo, es que no se pueden comparar. Una Monarquía es otra cosa, la República, qué
sé yo, es como más ordinaria, no lo niegues, que yo
recuerdo cuando se implantó, desarrapados y borra-
chos por todas partes, un asquito, hijo, que yo cada
día comprendo más a papá, te lo aseguro, Mario, su
ceguera por el rey. Lo que me parece absurdo es que
regañara con el tío Eduardo, tan monárquico también,
pero bueno, regañar como dos furias, no te creas, que
una vez le dio una lipotimia a papá y todo y tuvimos
que llamar al médico a toda prisa, que cuando volvió
en sí, a voces, "¡por supuesto si viene el rey de Eduardo no me quitaré la corbata!", que no son modales me
parece a mí, ya ves tú, dos reyes, como si también los
reyes pudieran ser mellizos o trillizos, que no me lo
explico. Y la otra tarde, Higinio Oyarzun, en la fiesta
de Valentina, me descubrió un mundo, te lo aseguro,
que no había acabado de contárselo y ya estaba con

que papá podía quitarse la corbata negra puesto que España era de hecho una Monarquía, fíjate qué cosa tan rara y yo en la luna, palabra, que con tanto chico, ni tiempo de leer el periódico, tú lo sabes, y es lo que le dije, que pensé poner cuatro letras a papá, pero no, papá dijo bien claro que cuando esté el rey en Madrid, que es otra cosa. ¡Me encantaría ver a papá, fíjate, de repente, con corbata de color! No se parecerá, seguro, son tantos años. Eso es fidelidad a una idea, no me digas, y lo demás son bobadas, mira tú, con tu padre, ¿recuerdas?, buena prisa para quitarte el luto, es que te faltó tiempo, ¿eh?, y siquiera con tu padre, un amago, que con tu madre ni eso, que me avergüenza pensar que yo, que al fin y al cabo no era nada de ellos, año y medio y tú ni mención. Eres un caso, que contigo una no sabe si reir o llorar, al principio todo muy bien, pero en cuanto montaste una pierna sobre otra y te viste los calcetines y los zapatos, ¡válgame Dios!, "me entristece ver negras mis pantorrillas y ya tengo bastante tristeza dentro". Y dicho y hecho, se acabó el luto. Los hombres sois unos casos, Mario, pues no te va a apenar ver negra tu pantorrilla, natural, pues para eso es el luto, adoquín, para recordarte que tienes que estar triste y si vas a cantar, callarte, y si vas a aplaudir, quedarte quieto y aguantarte las ganas. Para eso y para que te vean los demás, a ver qué te has creído, que los demás sepan que te ha caído una desgracia muy grande en la familia, ¿comprendes?, que yo, ahora, inclusive gasa, cariño, faltaría más, que no es que me favorezca, entiéndelo, que negro sobre negro va fatal, pero hay que guardar las apariencias y, después de todo, mi marido eres, ¿no? Pues naturalmente, que sí, por más que tu hijo tampoco parezca comprenderlo, que ahora te toca recoger lo que sembraste, buena agarrada tuvimos, que me saca de quicio ese chico con sus intemperancias, ya ves, su padre de cuerpo presente y él con su suéter de mezclilla, como si nada. Y cuando le dije lo de la corbata negra hay que ver cómo se puso, "eso son convencionalismos, mamá; conmigo no cuentes", así como suena, pero de malos modos, ¿eh?, que no lo querrás creer en Mario, hazte idea, esa mosquita muerta, que me pasé un cuarto de hora en el baño con un sofocón que no puedes hacerte idea. ¡Ten hijos para esto! Pues ya lo oyes, que le deje tranquilo, como lo del funeral de primera, ¡qué menos por un padre!, "vanidades", ¿qué te parece? Tranquilo, date cuenta, qué más quisiéramos todos que estar tranquilos, ¡qué disgusto, Dios mío!, que ese chico es tu vivo retrato, desde pequeñín, desde que le llevabas en la sillita en la bici, Mario, que hasta emplea palabras raras, "convencionalismos", date cuenta, para desconcertarme. No quiero entristecerme más de lo que estoy, Mario, cariño, pero la juventud está perdida, unos por el twist y otros por los libros, ninguno tiene arreglo, que yo recuerdo antes, ¿cómo vas a comparar?, hoy no les hables a estos chicos de la guerra, te llamarían loco, y sí, la guerra será todo lo horrible que tú quieras, pero, al fin y al cabo, es oficio de valientes, después de todo no es para tanto, que yo, por mucho que digáis, lo pasé bien bien en la guerra, de acuerdo, a lo mejor por insensatez, pero no me digas si aquello era como una fiesta sin fin, cada día algo distinto, que si los legionarios, que si los italianos, que si se tomaba esto o aquello, y todo el mundo, hasta los viejos, cantando "Los Voluntarios", que tiene una letra bien bonita, o "El novio de la muerte", que ésta sí que es el no va más. Y entonces ni me importaban los bombardeos, ni el Día del Plato Único, que mamá, con ese arte especial que tenía, juntaba todo en un plato y ni pasábamos hambre, te lo juro, como el Día sin Postre, que Transi y yo comprábamos caramelos y ni notarlo. Los que sí eran un poco así, como frescos, ahora me doy cuenta, eran los de los pueblos, a ver, gente sin trato, que yo recuerdo que cuando les clavábamos el Detente, pero en la carne, ¿eh?, todo el tiempo tocándonos y "dadnos suerte", que Transi y yo sin rechistar, a ver, eran tan valientes. ¿Sabías que yo, aunque ya era novia tuya, fui madrina de uno? Pablo, Pablo Haza creo que se llamaba, me escribía unas cartas tronchantes, llenas de faltas de ortografía, un patán de la cabeza a los pies, pero no te den celos, porque algo había que hacer por esa pobre gente y yo le contestaba, que una vez se presentó con permiso y empeñado en salir conmigo, figúrate, ya le dije que de eso ni hablar y, entonces, que al cine, y yo que no, menos, imagínate, con toda la gente, y él empezó a dramatizar que lo mismo le mataban al día siguiente y yo que qué le iba a hacer, que lo sentiría en el alma y él, entonces, se metió un dedo con toda la uña negra en la boca y me puso en la mano una muela de oro, que yo horrorizada, "¿para qué hace usted eso?", porque eso sí Mario, muy de usted, no te vayas a creer, buena era mamá: "Está bien ayudarles, pero guardando las distancias; los soldados son gente baja", y él que los moros cascaban las cabezas de los muertos, figúrate qué espanto, para quitarles los dientes de oro y que se lo guardara hasta el final de la guerra, que debió ser un presentimiento, porque del bueno de Pablo Haza nunca más se supo, que tuvimos que ir mamá y yo un día a entregar la muela al Tesoro. De esto hubo mucho en la guerra, desgraciadamente, mira Juan Ignacio Cuevas sin ir más lejos, me parece que ya te lo conté, el hermano de Transi, que era así como retrasado, medio anormal, pero le movilizaron y le llevaron a un cuartel, para servicios auxiliares y así, pero lo que pasa en las guerras, debió hacer falta gente o qué sé yo, el caso es que una mañana, los padres de Transi se encontraron un papelito todo lleno de faltas por debajo de la puerta: "Me yeban, figúrate con i griega, a la gerra, sin ú. Tengo muchísimo miedo, a Dios, separado, Juanito". Bueno, pues ésta es la hora, y ya ha llovido, que revolvieron Roma con Santiago, no te vayas a creer, buenos son, pues lo que se dice ni rastro. Claro que, lo que yo digo, conforme estaba, preferible que Dios se lo llevase, una carga, imagina qué porvenir, de peón de albañil o algo parecido, mejor muerto, pero a Transi, hijo, le dio sentimental, "ay, no, guapina, un hermano es un hermano", que eso según desde donde lo mires, pero si piensa así, es absurdo que pusiera cara a Evaristo, un emboscado, que hasta se dejó pintar desnuda por él o a saber cómo, que en otra cosa, no, Mario, cariño, pero en este punto bien tranquilo puedes estar, que yo de eso, ni hablar, ya lo sabes, y no por falta de ocasiones, Mario, que los hombres, por si no estás enterado, todavía me miran por la calle y hay miradas y miradas que Eliseo San Juan, cada vez que me echa la vista encima, hay que oirle, un torbellino, que no se para en barras, "qué buena estás, que buena estás; cada día estás más buena", que si le diera pie no sé lo que sería, que ni le miro, sigo y como si nada, hasta que se cansa, te lo prometo, como si no fuera conmigo, anda que si le diera pie...

VIII

No entregarás a su amo un esclavo huido que se haya refugiado en tu casa. Tenlo contigo en medio de tu tierra, en el lugar que él elija, en una de tus ciudades, donde bien le viniera, sin causarle molestias, como la simple de la Doro "al señorito se le puede servir de balde", hablar por hablar, tú lo sabes, Mario, que al señorito le sirvo yo, que ella ni se entera, así es la vida, mira, lo que se dice ni un vaso de agua, que no deja de tener gracia, luego por Navidades o por mi santo unas propinazas absurdas, la verdad, sobre todo cuando me estás viendo a mí descalza, arañando el céntimo, pero tú eres así, hijo, ya se sabe, para algunas cosas, a lo grande. Tenías que oir a Valen, Mario, se troncha, fíjate, de la devoción de la Doro por ti, con el cuento ese de "nuestro señor", como si mentara a Jesucristo o poco menos, que aquí, para inter nos, es muy cortita la pobre Doro, fiel y cariñosa a su modo, pero muy cortita, que yo no me explico cómo en el extranjero admiten a esta clase de gente, Mario, que se van a cientos, fíjate, cada vez más, a saber qué harán allí, según Valen los trabajos más rudos, los que hacen aquí, pongamos por caso, los animales, ya ves, tirar de los carros, y así, que cuesta trabajo creerlo, desde luego, aunque yo de esos extranjerotes cualquier cosa. Engañados es lo que van, que esta gente zafia, que ni se han molestado en aprender a leer ni nada, les dices el extranjero y los ojos en blanco, fíjate, que hay mucho papanatismo todavía, Mario, y con tal de cambiar cualquier cosa, que no es oro todo lo que reluce, que luego están rabiando y deseando de regresar, ¡a ver!, que como en España en ninguna parte. Porque, después de todo, ¿qué se les ha perdido en el extranjero, como yo digo? El caso es cambiar y hacer el tonto, aprender lo que no deben, eso, que buenos están los tiempos y aunque te rías, Mario, algún día España salvará al mundo, que no sería la primera vez. Yo me río con Valen, es un sol de chica, el otro día me para y me dice: "Me voy a Alemania; es la única manera de tener cocinera, señorita y doncella", ya ves qué ocurrencia, que tú mismo reconoces que tiene sentido del humor y a juzgar por la otra noche debe de tener mucho, que me pusisteis nerviosa con tanto cuchicheo y tanto ji, ji, ji y ja, ja, ja, y eso todavía pase, pero cuando empezaste a disparar los corchos del champán contra las farolas, te hubiese matado, ¡qué espectáculo!, y que no es decir que fuese una reunión de tres al cuarto, Mario, que estaba allí la mejor gente. Bebiste de más, querido, que a mí eso me horroriza y no sería porque no te lo advirtiese, que me pasé la noche, "no bebas más, no bebas más", pero tú ni caso, que una vez que te embalas no hay quien te pare, menos mal

que Valen es de fiar. A mí, desde luego, me chifla
Valen, ¿no te gusta a ti, cariño? Gastará mucho en
potingues, yo no lo niego, que Bene la tira a matar,
pero la luce, no es como otras, que Valen se da mucho
arte para arreglarse, sobre todo los ojos. ¿Sabías tú que
a Valen la limpian el cutis en Madrid una vez por
semana? Date cuenta, Mario, con las ganas que yo
tengo, y la dejan estupenda, ésta es la verdad, que
parece mentira que una cosa como el cutis sea tan
agradecida. Luego el reflejo la cae muy bien, que hay
a quien no le va, a mí por ejemplo, fatal, acuérdate,
y luego, con esa estatura que se gasta, no me choca
nada que la gente se vuelva a mirarla, que llama la
atención en la calle, a mí me gusta ir con ella por eso.
Convéncete, Mario, de las compañeras del Instituto, la
única, que hay que ver las reunioncitas de fin de curso,
cuánta inconveniencia, ni manejar los cubiertos de pescado saben, que si no fuera por Valentina yo qué sé.
Y debe de estar podrida de dinero porque vas por la
calle con ella y lo que la apetece, cualquier cosa, como
te lo digo, ni mirar los precios, que es de generosa...
Es un cielo, Valen, ¡yo la quiero! Y Bene dice que la
del dinero es ella, que yo no me explico la suerte de
Vicente, ¡qué bodaza!, que no es que él esté mal,
entiéndeme, pero una chica del atractivo de Valen y
encima con dinero, es una lotería. Bene, la directora,
dice que su trabajo le costó a Vicente, y no me extraña, que cuando se conocieron en Madrid, Valen salía
con un italiano, que también a los italianos hay que
echarles de comer aparte, madre qué éxitos, que yo no

lo comprendo, la verdad, más o menos como nosotros, latinos al fin y al cabo, y, si me apuras un poco, menos varoniles. ¿Te acuerdas cuando llegaron aquí durante la guerra? ¡Qué emoción, cielo santo, no lo quiero ni pensar! Todas las chicas despepitadas, a ver, la novedad, y te daban el pego, que mira luego en Guadalajara, que Valen dice que Mussolini eligió a los más altos y así, los de mejor facha, para propaganda, no sé. Desde luego, el batallón o lo que fuera, que llegó aquí armó la revolución, qué tipazos, que todo el mundo era a tirarles flores cuando desfilaban, vaya acogida, no se quejarán, que después, cuando lo de Guadalajara, cambió la decoración, menudo pitorreo, todo para que ahora salga ese bebé de Aróstegui, que no ha visto la guerra ni en pintura, con todo lo joven rebelde que sea, que eso de Guadalajara demuestra que los italianos son civilizados porque no son guerreros por más que Mussolini les disfrazara de soldados. Y el tonto de Moyano, que adelantaría más rapándose esas barbas asquerosas, que los italianos son el no va más, que allí donde van ponen el mingo, que hasta han conquistado París con sus suéters y sus zapatos, que así conquista cualquiera, ya ves, qué bobada. Es lo mismo que con la belleza de las italianas, que habrá de todo, supongo, como en todas partes, ahora que es natural que en el cine saquen lo mejorcito, no van a ser tontos, pero el gancho de las películas italianas, que a mí no me la dan, es lo que enseñan ellas, Mario, que son unas guarras, no me digas, que de otro modo, mira las peliculitas aquellas de después de la guerra, qué horror, niños piojosos y muertos de hambre, todas iguales, que a mí, francamente, el cine para divertirme, que bastantes preocupaciones tiene ya la vida. Y te lo digo y te lo demuestro, Mario, que a sinvergonzonería pocos les ganarán, que en este aspecto todos estamos al cabo de la calle, que a saber qué arte se darán, pero aquí, en la guerra, estragos, las cosas como son, claro que los alojaron en casas particulares y eso es peligroso si una no tiene unos principios bien sólidos. Ve ahí el caso de Galli Constantino y, como ése, a cientos y no te exagero. Galli llegó a casa como a terreno conquistado, sonriendo, muy tostado, con su bigotito como un hilo y los ojos tan claros... Como guapo era muy guapo, que una cosa no quita a la otra, una medalla, y, luego, tan simpático, "bambina" por aquí, "bambina" por allá, que yo era muy joven entonces, ya ves, el 37, una cría, pero me encantaba oírselo. Galli fumaba todo el tiempo y como entonces las chicas ni idea, eso a Julia y a mí, nos parecía muy varonil, una niñería, tú dirás, pero entre eso y el uniforme, y las medallas que había ganado en Abisinia, imagina, contra los negros, que ésa sí que tuvo que ser una guerra horrible, pues deslumbradas, a ver, lógico. Me acuerdo que muchas tardes me quedaba yo sola en casa con Galli, porque papá y mamá se iban a dar una vuelta y Julia tenía clase de violín, y me encantaba, y él me cogía las manos, sin mala intención, por supuesto, no te den celos, pero a mí se me ponía el corazón a cien, y me contaba cosas de Pisa y de Abisinia, y de sus hijos, Romano y Ana María como "los figlios" del Duce y me decía "bambina" y yo loca, que Transi, para qué te voy a contar, muerta de envidia, "preséntamele, hija, no seas egoísta". Lo único que me disgustaba de Galli, ya ves, antes de pasar lo que pasó, eran las cremas y los tarros del cuarto de baño, que mamá, pesadísima, la pobre, "¿dónde se ha visto un hombre con tantos potingues?", que Julia, chitón, y a papá, figúrate, le daba de lado, que a papá lo que le sacaba de quicio, era que Galli le hiciera saludar a la romana después del parte, cuando sonaban los himnos, imagínate papá, lo menos marcial del mundo, y, al acabar, Galli, "¡viva la España!" y "¡viva la Italia"!, que todos, viva, pero muy bajito, muertos de vergüenza, que era una juerga. Y una noche que Galli no estaba, que muchas noches ni venía a cenar, a saber dónde iría, buen pájaro estaba hecho, papá, "que le resultaba un poco teatral", que allí verías a Julia, yo no sé si estaría enfadada por otra cosa, cómo se puso, que teatral ¿por qué? que "se es o no se es" que yo no sé bien lo que quería decir pero a papá le dejó parado, la verdad, pero es que ni abrir la boca. El caso es que Julia y yo salíamos con Galli casi todas las tardes en el Fiat descapotable y luego Transi me daba la lata, "qué majo es; ¡ay hija! no seas así, preséntamele; no seas egoísta", pero yo ni caso, figúrate, conforme las gastaba Transi. Y Galli nos compraba helados y pasteles, y una tarde nos metió en una librería y compró una gramática italiana para las dos, yo qué sé el dinero, que Galli, aparte de generoso, tenía una buena cualidad, rara en un hombre, fíjate, nunca le vi enfadado, que inclusive

cuando yo me reía porque él pronunciaba mal, él, tan
terne, "¿per chè ride, bambina? ¿per chè?", y entre-
cerraba los ojos de unas formas que me volvía loca,
no te enfades, Mario, que lo digo en buen plan. Fue
una temporada regia, la verdad, a todas partes con el
Fiat descapotable, toda la gente sudando, que fue
cuando pensé, cuando me case, lo primero, un coche,
ya ves si viene de atrás, porque papá era muy refrac-
tario y, aunque podía, nunca le dio por ahí, a saber,
una manía como otra cualquiera, pero yo me dije,
"cuando me case, lo primero un coche", ya ves qué
ilusa, la que me esperaba, para que luego venga Encarna con que si te llevo o te traigo, para un capricho
que he tenido en la vida, que te pones a ver y en
esta casa no se ha hecho más que tu santísima voluntad, ni más ni menos. Fuera de los nombres de los
chicos, la administración, los colegios y cosas así, yo un
cero a la izquierda, no me vengas ahora, que lo que
más me duele, Mario, es que por unos cochinos miles
de pesetas, me quitaras el mayor gusto de mi vida, que
yo no te digo un Mercedes, que de sobra sé que no
estamos para eso, con tanto gasto, pero qué menos que
un Seiscientos, Mario, si un Seiscientos lo tienen hoy
hasta las porteras, pero si les llaman ombligos, cariño,
¿no lo sabías?, porque dicen que los tiene todo el
mundo. ¡Cómo hubiera sido, Mario!, de cambiarme la
vida, fíjate; no quiero ni pensarlo. Pero ya, ya, un
automóvil es un lujo, una cátedra no da para tanto, me
río yo, como si no supiera que los que te frenaban eran
los de la tertulia, pero mira don Nicolás, consejos ven-

do y para mí no tengo, un Milquinientos, que es lo que yo digo, una cosa es predicar y otra dar trigo, que mucho igualdad y todas esas historias pero ya le ves a él, el cuento de siempre, que si tú te lo propones, un Gordini, a ver, y no quito ni tanto así, que oportunidades no te han faltado, mira Fito, en mejor plan no cabe, y aun sin recurrir a eso, Mario, porque tú escribes bien, todo el mundo dice, pero de unas cosas que no entiende nadie y cuando se entiende, peor, de una gentuza que hasta huele, desarrapados y muertos de hambre. Y eso a la gente, no, Mario, que la gente es muy avisada y no le gusta que le vayan con problemas, que bastantes tienen ya, que me he hartado de decírtelo. ¡Si vieses con qué ilusión te propuse lo de Maximino Conde! Contármelo Oyarzun y salir pitando fue todo uno, que llegué sin aliento, tú lo viste, total para nada, aunque no me negarás que era un argumento formidable, muy humano y así, quizá un poquitín verde, pero tampoco había necesidad de llevarlo al extremo, creo yo, nada de líos gordos, bastaba con enamorarle de la hijastra, ¿me comprendes?, y una vez que ella cede y, por así decir, se le entrega, a Maximino, o como se fuera a llamar en la novela, le haces reaccionar en decente y de este modo quedaba un libro inclusive aleccionador. Pero contigo, cariño, sobran razones, igualito que hablarle a una pared, "sí", "no", "está bien", ni notas, ni interés, ni escucharme siquiera, que esto es lo que peor llevo, que los hombres no sois más que unos soberbios, os creéis en posesión de la verdad y a nosotras ni caso. Y mal que os pese, de la vida entendemos las mujeres un rato largo, Mario, si sabré yo los libros que leen mis amigas, que tú siempre, "pocos serán", con ese desprecio, que no es que yo vaya a decir que sean muchos, que ni tiempo tenemos para leer el periódico, pero si quitas a Esther, los que leen no son de guerras, desde luego, ni sociales o eso, sino de pasiones y de amor, no falla. Y además es lógico, querido, que el amor es un tema eterno, métetelo en la cabeza, mira Don Juan Tenorio, eso no se pasa, no son modas de un día, que tú me dirás sin amor qué sería del mundo, ni existiría, a ver, natural, se le habría llevado la trampa.

IX

El reino de los cielos es semejante a un rey...
qué rey ni qué niño muerto, una cosa que me he pre-
guntado mil veces, Mario, cariño, si a ti la Monarquía
no te daba frío ni calor, ¿a santo de qué armaste el
trepe que armaste con Josechu Prados? Porque no me
digas a mí, que a Josechu, a bueno, no le gana nadie,
de una familia de aquí, de toda la vida, figúrate los
Prados, conocidísimos, que hizo la guerra en primera
línea, honrado a carta cabal, ¿a qué ton dar la nota?
¿Por qué buscarle las vueltas? Al fin y al cabo si él era
el jefe de mesa o como se llame, a ti qué te iba ni te
venía, con su pan se lo coma, él era el responsable,
¿no? Bueno, pues tú que nones, que a contar, uno por
uno y a contar, que ni sé cómo tuviste valor después
de la prueba de confianza, tú dirás, que si te eligieron
fue como persona representativa, pero tú ya fuiste a
regañadientes, Mario, y con ganas de alborotar, eso no
hay quien me lo saque de la cabeza. Y si a Josechu le
da por decir que el noventa por ciento de "síes", el
cuatro de "noes" y el seis de abstenciones, en blanco
o como se diga, pues bueno, él era el jefe, ¿no?, que

diga misa si quiere, ¿qué te importaba a ti, al fin y al cabo? Pero no, es lo mismo que el lechazo de Hernando de Miguel, o la gresca con Fito, el espíritu de la contradicción, cariño, es tu sino, porque si, en definitiva, aquello no te gustaba, que tampoco había para tanto me parece a mí, pudiste decirlo de buenas maneras, con educación, pero nunca pasar a mayores, haciéndoles cara, que si tú dices "no me gusta pero acepto la decisión de la mayoría", pues todos contentos, fijo, que después de todo, ésa es la democracia si no te he entendido mal. "No puedo prestarme a eso", así, a boca llena, con mayúsculas, hijo, como en tus libros, para que se oyera bien, que se entere hasta el apuntador, que si no dices las cosas a voces, revientas, como yo digo, y dale con que a contar y a contar, y si no contamos, no hay acta, el chantaje, qué bonito, que siempre has sido un hombre disparatado, Mario, y a ti lo que te gusta por vivir es meter bulla, desafiar a la ciudad, aquí estoy yo, y aunque todos digáis blanco, yo digo negro, pues porque sí, porque se me antoja, que te tengo muy calado. Y no es eso, Mario, calamidad, que para vivir en el mundo hay que ser más flexible, tener un poquito de correa, que mucho predicar tolerancia y después hacéis lo que os da la realísima gana, porque, después de todo, si tú hubieras sido un republicano de toda la vida, un republicano cien por cien, vaya, me lo explico, pero si te has pasado la vida diciendo que República y Monarquía no son más que palabras, y que tanto daba la una como la otra y que lo importante es lo que hubiera debajo, ¿a qué ton dar la campanada de no firmar el acta? ¿Por qué hacerle un feo semejante a Josechu Prados que nunca tuvo con nosotros más que atenciones? No tiene sentido, convéncete, que aquello fue garrafal, que dice Vicente Rojo que el pobre Josechu llegó al Círculo descompuesto, blanco como la pared y que tartamudeaba al hablar y todo, para haberle dado algo, qué horror, acuérdate de su padre, una hemiplejía, que se pasó media vida en un sillón de ruedas, pobre señor, todo porque una criada le soltó cuatro frescas. Hay que andarse con más cuidado, Mario, tonto del higo, que por las bravas no se va a ninguna parte, convéncete, y hay que vivir en el mundo, que Josechu, muy buena persona, pero también tiene su orgullo, a ver, somos humanos, y te la guardó, acuérdate de lo de la casa, por las buenas un alma de Dios, pero que no se te ocurra llevarle a contrapelo, si es de cajón. ¿Sabes lo que dijo la otra noche Higinio Oyarzun y mira que ya ha llovido? Pues dice que dijo, Josechu, ¿comprendes?, que eras un puritano pero que aquel día no te partió la cara, como te lo digo, en atención a la amistad que sus padres tuvieron con los míos, date cuenta, el bochorno, que no sé cómo te las arreglas pero, por fas o por nefas, te has cargado a la ciudad entera, cariño, que ésa es la herencia que me dejas, tú dirás, ahora, si no fuera por papá, una pensión, a ver, la viudedad ni para el piso, que ésa es otra cosa que está mal, yo misma lo comprendo. Me haces gracia con eso de que con la verdad por delante se va a todas partes, me río yo, que contigo no hay

razones, porque ¿quieres decirme dónde has ido tú,
cariño?, coche todo el mundo y tu mujer, a patita, eso,
que no tienes ni dónde caerte muerto, ¡válgame Dios!,
una cubertería de alpaca a todo tirar, que hasta vergüenza me da el decirlo. ¿Crees tú que eso es vida?
Con la mano en el corazón, Mario, ¿crees tú que habrá
muchas mujeres que hubieran aguantado este calvario?
Te digo mi verdad, pero el que no lo reconozcas es
lo que peor llevo, que en veintitrés años de matrimonio,
que se dice pronto, no hayas tenido una sola palabra
de gratitud, porque había otros hombres, Mario, y tú
lo sabes, que no me faltó dónde elegir, y aún les hay
si me apuras, que después de casada no me hubieran
faltado proporciones, y si yo te contase, que éste es
el chiste, pero como una es una mujer de su casa, una
mujer como debe ser, vosotros a descansar, que eso
es lo que explotáis los hombres; la bendición, un seguro de fidelidad, como yo digo, habéis comprado una
fregona, una mujer que de dos os saca cuatro, ¿qué
más vais a pedir? Así es muy cómodo, que, mientras,
vosotros, ¡hala!, todo el monte es orégano, lo que os
da la gana. Como eso de que llegaste al matrimonio
tan virgen como yo, mira, guapín, eso se lo cuentas a
un guardia, una bola así, y venga, "no me lo agradezcas, fue ante todo por timidez", ¡qué timidez ni qué
ocho cuartos!, como si no os conociéramos, los hombres, todos iguales, ya se sabe, que tú, dale, con que tus
torpezas eran la mejor demostración, ¡música celestial!,
que lo que pasa es que entre una perdida y una decente todavía hay distancia, y, en el fondo, todavía queda

algo digno en vosotros y es lo que sale a flote cuando
os casáis, ni más ni menos, ni menos ni más. ¡Virgen
tú! Pero ¿es que crees que me chupo el dedo, Mario,
cariño? Y no es que yo vaya a decir que tú seas un
vicioso, que eso tampoco, pero, vamos, algún desahogo
de vez en cuando... Luego lo de Madrid, el viaje de
novios, que me hiciste pasar una humillación que no
veas, un desprecio así, que empiezo por reconocer que
yo estaba asustada, que sabía que tenía que pasar algo
raro, por lo de los hijos, a ver, pero creí que era una
vez sólo, palabra de honor, y estaba resignada, te lo
juro, sea lo que sea, pero tú te acostaste y "buenas
noches", como si te hubieras metido en la cama con
un carabinero, figúrate, tanto control, tanto control,
que ni a Valen se lo he contado y yo a Valen, te lo
puedes imaginar, que no es lo mismo que Esther, que
Esther aunque amiga de toda la vida, es otra cosa,
mucho menos comprensiva, dónde va, y hay temas de
ésos, un poco picantes, que con ella son tabú, mucho
presumir de moderna y de leída y no es más que una
rancia, que con ella, ya ves, lo pienso muchísimas
veces, a lo mejor habías congeniado, que sois tal para
cual, hijo, como fabricados con el mismo molde. Por de
pronto a Esther la pareces inteligente y lee libros de
esos raros, tostonazos que no se traga nadie, que me
acuerdo cuando "El Patrimonio", Valen se tronchaba
y Esther, la sabihonda, que era un libro simbólico, date
cuenta, qué sabrá ella, y cuando te dio la depresión o
eso, ídem de lienzo, que tú, pesadísimo, con la frivolidad y la violencia, que lo que Valen decía, "mujer,

¡qué manera tan pesimista de ver las cosas!", pues
Esther, hijo, que te comprendía muy bien, cómo no,
y que abriésemos una revista a ver de qué otras cosas
hablaba que no fuese de princesas de vacaciones o de
matanzas en el Congo. Un pico de oro, cariño, que
ella no hablará mucho pero cada vez que abre la boca
es para poner punto final, madre, ¡qué ínfulas!, parece
un predicador. "Mario tiene cosas dentro, pero entre
todas le quitáis las voluntades", lo dijo Blas, punto
redondo, anda que por mí, mira, buena prisa me di
en contarte la historia de Maximino Conde y como si
no, que si yo hubiera sabido escribir, Mario, ¡qué novela! Lo que la pasa a Esther es que no te ha visto en
zapatillas, que es como hay que veros a los hombres,
que al poneros las zapatillas os quitáis la careta, como
yo digo. Cada vez que sale este tema, me acuerdo de
mamá, que en paz descanse, Mario, que ella decía
que, antes de casarse, la mujer debería ver unos meses
a su novio en zapatillas y así se evitarían muchos
desengaños. Date cuenta, no es porque yo lo diga,
Mario, pero mamá estaba en todo, lo que es la experiencia, que una a los diecisiete se cree que está de
vuelta y todo eso la parecen chocheces y luego pasa
lo que pasa, todas tropezamos, en la misma piedra,
que no es que yo me queje, a ver si nos entendemos,
pero cuando, la primera vez, te diste media vuelta y
me dijiste buenas noches, me quedé fría, que nunca me
hizo nadie un feo así, que yo no seré una Sofía Loren,
lo reconozco, pero tampoco para un desprecio semejante. Paquito Álvarez, ya te lo digo desde aquí, nunca

hubiera hecho eso conmigo, y no digamos Eliseo San
Juan, o el mismo Evaristo sin ir más lejos, que será
todo lo degenerado que tú quieras, que hasta dicen
que tiene una maleta con plumas de gallina y pone
espejos y cosas raras, pero precisamente por eso. Y no
es que me cogiera de nuevas ni mucho menos, que
siempre he oído decir que la noche esa es de campeo-
nato, que no se disfruta, que es un trago, pero no sé
de nadie, ni de uno, fíjate, que se diese media vuelta y
buenas noches. Y no me vengas con que por respeto
y que hay ocasiones en que hay que dominar al bruto,
porque nos duela o no, animales somos, Mario, y, lo
que es peor, animales de costumbres, que una mujer,
por muy sanos principios que tenga, en una situación
así, acepta antes una brutalidad que un desprecio, y a
mí ya me conoces. Lo de la noche de bodas, Mario,
te pongas como te pongas, es algo que no olvidaré por
mil años que viva, vamos, hacerme eso a mí, que todavía el P. Fando que una delicadeza, ya me ha visto a
mí el pelo, que buenos se están poniendo estos curitas
jóvenes, que no dan importancia a nada, sólo a si los
obreros ganan mucho o poco, que me apuesto la cabeza a que les parece peor que un patrono niegue una
paga extraordinaria a que abrace a una mujer que no
es la suya, que a esto hemos llegado, Mario, aunque
sea triste reconocerlo, que estamos perdiendo el sentido de la moral y así nos crece el pelo, dichoso Concilio,
con lo tranquilos que estábamos. ¿Pues no salen ahora
con que los protestantes van a abrir una capilla aquí,
en la esquina? Pero ¿es que estamos bien de la cabeza,

imagínate, con cinco criaturas? ¿Con qué tranquilidad les va una a dejar salir de casa? Es que no quiero ni pensarlo, Mario, que esto nos pasa porque no sois como debiérais, la gente no medita ya en el Más Allá, ni tiene principios ni nada que se le parezca. Pero si lo teníamos en casa, Mario, recuerda, "cuéntame tus aventurillas de soltero, aunque me duelan. Te perdono de antemano", yo creo que en mejor plan, porque estaba dispuesta a tragarme el cáliz hasta las heces, te lo prometo, que quizá sea una tonta, pero no lo puedo remediar, las gasto así y de repente, un buen día, me entran ganas de perdonar a todo el mundo, y lo iba a hacer, te lo juro, dejarte hablar y, luego, un beso y "lo pasado, pasado", pero tú, chitón, reservado hasta con tu mujercita, que es lo que peor llevo, y cuando insistí, con mayúsculas, hijo, como en tus libros: "ERA TAN VIRGEN COMO TÚ, PERO NO ME LO AGRADEZCAS; FUE ANTE TODO POR TIMIDEZ". ¿Qué te parece? Si hay una cosa que me saque de mis casillas, Mario, es tu desconfianza, entérate de una vez, porque si aquella noche me dices la verdad, te hubiera perdonado igual, aunque me costase, te lo juro por lo que más quieras. Lo mismo que con lo de Encarna en Madrid, que no hace falta ser mal pensada, y no te digo ahora, pero fíjate hace veinticinco años, con la euforia, una cerveza y unas gambas, que no, Mario, cambia de disco, ni que fuera tonta, ¿crees que no conozco a Encarna? Y luego con el éxito y todo eso, para qué querías más, donde te llevase, a ver, si me hago cargo, pero, lo mires por donde lo mires, es una indecentada, entre cuñados, aunque sólo fuese por respeto a la sagrada memoria de Elviro, que con la viuda de José María, si hubiera estado casado, parecería lo mismo pero no es lo mismo, es otra cosa, ya ves, un hombre sin creencias. Por más que callemos la boca, todo acaba sabiéndose, Mario, que el mundo es un pañuelo como decía la pobre mamá, y con Encarna, hasta hace cosa de quince años, ha habido cosas que no están claras, cariño, que según tú todo es caridad, pero a saber, que yo no digo que la sobre ni que vaya a ponerse a trabajar, Dios me libre, pero sé que la dabas dinero y ella lo cogía, que te puedo indicar hasta el lugar y la fecha si es que lo quieres más claro, que una, a la chita callando, se acaba enterando de todo.

X

*En verdad os digo que cuantas veces hicisteis eso
a uno de mis hermanos pequeños, a mí me lo hicisteis.*
Escucha una cosa, Mario, ¿sabes que me gustaba cada
vez que me decías "eres una pequeña reaccionaria"?
Supongo que lo dirías por mis prontos, a ver, ¿por qué
otra cosa si no?, pero con todo. Recuerdo que de chicos, Paco, cuando me perseguía, siempre con "pequeña" a vueltas, como un estribillo, que hubo una época
que me gustó Paco, como lo oyes, yo era una niña,
desde luego, que entonces apenas si reparaba en que ni
hablar sabía, porque la familia de Paco era un poco
así, ¿cómo te diría?, bueno, un poco, lo que se dice
una familia artesana, y en cuanto le rascabas asomaba
el bruto, pero como andaba siempre de broma se pasaba el rato con él, que en la vida he visto un hombre
más colado, te digo mi verdad. Recuerdo que cuando
nos cruzábamos con vuestra pandilla y el bárbaro de
Armando se ponía los dedos en las sienes y mugía,
Paco decía: "Si sueltan otro Mihura, me echo al ruedo,
pequeña, sólo para que veas lo que es valor", y Transi
se mondaba, que yo no sé qué la daría Paco pero

siempre le prefería, y de no ser él, los Viejos, que lo
que es a ti, ni regalado, las cosas como son, que
tampoco venía a cuento esa manía, "échale, fíjate qué
nuez, parece un espantapájaros", tú dirás, que los primeros días, en cuanto te marchabas, me daba un beso
en la boca, bastante apretados, desde luego, raros,
como de tornillo, "Menchu, tienes fiebre, no deberías
salir mañana", que yo no sé si serían celos o qué, ¿me
comprendes? Transi, francamente, no ha tenido suerte,
que tendría sus cosillas, y quién no, pero también reúne
muy buenas cualidades, ya ves tú, lo de la fiebre, a
esa edad, atenciones así no se pagan con dinero. No sé
por qué, ni por qué no, pero Paco Álvarez la tenía
sorbido el seso, es que se moría de risa con él, ¿eh?,
corrigiéndole, que Paco decía "relación" por "reacción" y "preceptiva" por "perspectiva", todo se trabucaba, que Transi le decía el Obrero, entre nosotras,
claro, sin darle beligerancia, que es lo que más me
extraña, aunque, bien mirado, eso era lo de menos, lo
peor es que se le veía un hombre sin pulir, pues no sé
en qué, en todo, ni se preocupaba de si me llevaba a
la izquierda y decía siempre "mi mamá", imagina,
a sus años. Porque le quitas eso y Paco, como hombre,
estaba pero que muy bien, y no te digo ahora, curtido,
con sus canitas, que parece un actor, pero mi sino siempre parece haber sido atraer a la gente basta, Eliseo,
Evaristo, Paco y así. Valen dice que eso pasa cuando
se está llenita, pero yo, quitando la poitrine, que siempre tuve un poco de más, nunca fui gorda, ¿no te
parece? Y no digo ahora, naturalmente, que hay que

ver a Eliseo San Juan, bisojo se pone, oye, y si voy
con el suéter azul el acabóse, "qué buena estás, qué
buena estás; cada día estás más buena", una cosa mala,
Mario, lo que se dice ni a sol ni a sombra, una obsesión. Y, luego, con esa mandíbula, ese vozarrón y esas
espaldas que se gasta, aturde, la verdad, que, lo que
yo digo, Paquito Álvarez siempre fue otra cosa, no voy
a decir más fino, pero, ¡qué sé yo!, menos avasallador,
como más comedido, otra cosa, los mismos ojos, yo no
he visto cosa igual te doy mi palabra, que es un verde
raro para ojos, reconócelo, como los de los gatos o el
agua de las piscinas. Y tenía detalles, que bien que me
fijé, que Paco sería burdo y así pero siempre luchó
entre su extracción humilde y un natural educado. Ya
le ves ahora, un señor, un verdadero señor, que yo
recuerdo de chicos, al subir o bajar la acera, siempre
me cogía un brazo, como por descuido, ya sabes, al
desgaire, pero para una mujer es agradable notar que
el hombre repara en su debilidad. Y una cosa que no
te he dicho, Mario, que el otro día, hará cosa de dos
semanas, el 2 del pasado para ser exactos, Paco me
llevó al centro en su Tiburón, un cochazo de aquí hasta
allá, no veas cosa igual, que yo estaba parada en la
cola del autobús y, de repente, ¡plaf!, un frenazo, pero
de película, ¿eh?, como te lo digo, que hacía mil años
que no veía a Paquito, no te vayas a creer, que me puse
encarnada y todo, fíjate qué rabia, que si hay algo que
me haga perder los estribos es notar que la sangre me
sube a la cara y no poder remediarlo. Y él, como si no
se enterase, que hay que ver qué voz, qué aplomo, qué

modales, otro Paco, Mario, como lo oyes, "¿vas al centro?", "pues, sí", a ver qué podía contestarle, pero sin moverme, que allí mismito, pegando a mí, estaba Crescente, con el motocarro, fisgando, natural, para no perder la costumbre, pero Paco sin vacilar, "te llevo", que yo me colé sin pensar siquiera lo que hacía. Y ¡qué coche, Mario, de sueño, vamos! Con decirte que se me iba la cabeza, pero es que ni notar los baches, que luego Paco conduce con una seguridad como si no hubiera hecho otra cosa en su vida, y yo, como parezco tonta, el corazón paf, paf, paf, todo el tiempo, no por nada, sólo de verme encerrada en un coche con otro hombre que no fueras tú, que, eso sí, Paco no es el que era, qué manera de expresarse, Mario, pocas palabras pero las justas, en un medio tono, sin descomponer la cara por nada, como la gente bien. Los hombres es una suerte, como yo digo, con los años ganáis, y el que no está bien a los veinte no tiene más que esperar otros veinte, ahí tienes a Paco, hablando como un libro, como muy varonil, que de chico, tan rubito, resultaba un poco niño Jesús para mi gusto, como un poco blando, no sé, que ahora a la legua se ve que tiene mundo, "por ti no pasa el tiempo, pequeña; estás igual que cuando paseábamos por la Acera", ya ves, que yo "qué bobo", a ver qué otra cosa podía decirle, si no hablábamos desde hacía veinticinco años, unas bodas de plata, imagina, exactamente desde que yo era una cría, que yo, por desviar la conversación, "qué coche más estupendo" y él que conmigo dentro lucía más, una galantería, tú dirás, más de trapillo no podía

ir, que me cogió de sorpresa y luego lo sentí, las cosas
como son, pero eso no quita, que una atención siempre
gusta. Y en cuanto nos callábamos, él venga de mirarme de reojo, un poco así, no te digo en plan conquis-
tador, pero vamos, que dio un rodeo para llevarme a
la Plaza, pero yo ni pío, como si no me diera cuenta,
que de sobra sé que está casado y con un montón de
hijos, y yo también, claro, pues a hacerme la boba,
que luego, al despedirnos, venga de mirarme a los
ojos, y me retuvo un buen rato la mano, que yo creí
que iba a estallar, porque le ves a Paco ahora y como
si fuera otro hombre, Mario, un dominio, una seguridad, parece mentira un cambiazo así. Por lo visto, después de la guerra, estuvo unos años en Madrid, relacio-
nándose, ¿sabes?, él me lo dijo, y ahora con eso del
Polo le interesa esto, representaciones y no sé qué
negocios de solares o como se llame. Desde luego, él
siempre fue trabajador y en la guerra se portó estu-
pendamente, menudo historial, un hermano caído y él
un metrallazo en el pecho y un montón de heridas
más, que méritos de sobra, quién se lo iba a decir a él,
aquel chiquilicuatro, las vueltas que da el mundo, ya
ves si yo me hubiera casado con él, a estas horas lo
que quisiera. Porque tú te reirás, Mario, pero hoy la
gente, bien de dinero que gasta, que es lo que más
rabia me da, que tú de tonto ni un pelo pero ya ves,
y yo no digo un Tiburón, pero un Seiscientos… Un
Seiscientos hoy hasta las porteras, cariño, que no es
que exagere, ya ves los domingos en la calle, cuatro
muertos de hambre y nosotros. No es por nada, Mario,

pero lo de Paco me ha hecho reflexionar y es inclusive pecaminoso desaprovechar los talentos que Dios nos ha dado, así, que con escribir esas cosas que escribes en "El Correo" no adelantas nada ni haces bien a nadie, perder el tiempo, como yo digo, mira Paco. Yo misma reconozco que el encuentro me dejó un poco atontada, lógico, después de tanto tiempo, que no es que para mí pueda haber más hombres que tú, entiéndeme, pero para una mujer siempre es halagador saber que gusta. ¿Tú sabes cómo me miraba, Mario? Al marcharme no sabía cómo ponerme, te lo juro, que él no arrancaba y de seguro que estaba fisgándome, que me dio coraje haber salido con esas fachas, porque si no tuviera otra cosa, pero precisamente ahora, claro que para sabido. Menos mal que los hombres ni os fijáis, que yo cuando me cogió la mano pensaba todo el tiempo, "que no me mire los botones, que no se dé cuenta que he vuelto el abrigo", pero ya no suda ni nada, que yo recuerdo de joven, claro que ahora hay preparados para todo, pero de chico cada vez que me agarraba el brazo para subir a la acera, yo la decía bajito a Transi, "ya me caló", que ella tronchada, y el infeliz de Paco, "¿de qué te ríes, pequeña, si no es mala pregunta?", que me lo dejaba todo húmedo, como te lo estoy diciendo. Y no es que yo vaya a decir ahora que me transfiguró que Paco me retuviese la mano, pero dejarás de reconocer que es un detalle, cosa que tú nunca tuviste conmigo, cariño, que siempre fuiste más frío que otro poco, y no digo besarme, que eso ni a ti ni al lucero del alba se lo hubiera consentido, estaría bue-

no, pero sí un poquito más de pasión, calamidad, que
siempre fuiste un apático, mucho "amor mío", mucho
"mi vida" y, luego, nada entre dos platos. ¡Mira que la
noche de bodas! Delicadezas, me río yo, que me pones
en cada compromiso, ya ves Valen, que ella sangró,
pues yo tengo que decirla que también, por vergüenza, a ver, ¿con qué cara la digo que diste media
vuelta y si te he visto no me acuerdo? ¿Quieres más?
Pues ahí tienes a Armando y a Esther, hijo, y ella bien
intelectual que es, no me digas, bueno pues se hicieron novios, por si quieres saberlo, reteniéndole él la
mano, ni más ni menos, ni se le declaró ni nada que
éste es el chiste, que ella lo notó porque no la soltaba,
sólo por eso, y así empezaron, ya ves tú. Que yo no
hubiera admitido ese sistema, eso es aparte, que a mí
las cosas bien hechas, Mario, y la declaración para ser
novios es como la bendición para ser marido y mujer,
la misma cosa, que recuerdo la pobre mamá, "principio quieren las cosas", repara, más razón que un santo. El noviazgo es una baza muy importante, Mario, un
paso para toda la vida, que muchos ni se dan cuenta,
me gustas, te gusto, pues ¡tira!, que inclusive lo toman
a broma, y no es eso, que así ocurre lo que ocurre.
Ahora, un poquito de pasión, por mucho que digas,
fundamental. Mira, Armando, quince años casado, de
vuelta de muchas cosas, pero a él que no le miren a
su mujer, recuerdo la otra noche en el Atrio, el bar,
menudo trepe, y no creo que Esther, la pobre, tenga
mucho que mirar, bueno, eso es aparte, para él no
rige, a pescozón limpio, muy en hombre, como hay

que ser, que buena tunda llevaron, total por guiñarla
el ojo, verás como no les quedan ganas, lógico. ¿Y en
el Quevedo, de novios? Yo lo vi y le estuvo bien empleado, menudo escándalo, le pegó un puñetazo al tipo
aquel que hasta partió las carteleras y todo, sólo por
echarla el humo al pasar, sólo por eso, date cuenta,
que es por lo que me chifla a mí Armando, que será
todo lo brutote que queráis, pero es sano, como muy
chapado a la antigua, con unos principios, ya me
comprendes. A las mujeres nos gustan los hombres
con unos pocos más de arrestos, querido, que defen-
dáis lo que es vuestro, que os matéis por nosotras, si
es preciso. ¿No se hace por la Patria? Pues ídem de
lienzo, Mario, para que te enteres, que la mujer o la novia deben de ser sagradas, como yo digo, ni tocarlas ni
que las toquen, aunque contigo esto y mirar al cielo
es todo uno, "tengo confianza en ti", "tú ya sabes lo
que debes hacer", ¡qué cómodo!, y ¿si se me olvida?
¿Y si un día no me da la real gana de hacer lo que
debo hacer? Es muy bonito eso, los hombres, una vez
que os echan las bendiciones a dormir tranquilos, un
seguro de fidelidad, como yo digo, el cuento de siempre, pero métete esto en la cabeza, Mario, hay ocasiones en que uno ha de ganarse esa fidelidad a pulso, y
con los puños si hace falta, ahí tienes a Armando, toma
ejemplo, a él que no le miren a su mujercita porque
es capaz de todo. Y como Armando, la mayoría, convéncete, que no sé Paco, que hace mucho tiempo que
le perdí la pista, pero lo más seguro, no hay más que
verle, por de pronto en la guerra ya lo demostró, que

hay que ver cómo tiene el cuerpo, como una criba, la de metrallazos. Ya sé que me pongo pesada pero no me cansaré de repetirte, borrico, que hay que poner ardor en las cosas que de verdad merecen la pena en lugar de gastar el tiempo escribiendo patochadas que ni te dan dinero, ni le interesan a nadie, que ya oiste a papá, y papá en otra cosa, no, pero en eso de escribir no es un cualquiera, de sobra lo sabes, que me saca de mis cabales que te hagas el tonto.

XI

¡Qué hermosa eres, amada mía, qué hermosa eres!
Tus ojos son palomas, y perdóname que insista, Mario,
que a lo mejor me pongo inclusive pesada, pero no es
una bagatela eso, que para mí, la declaración de amor,
fundamental, imprescindible, fíjate, por más que tú
vengas con que son tonterías. Pues no lo son, no son
tonterías, ya ves tú, que, te pones a ver, y el noviazgo
es el paso más importante en la vida de un hombre
y de una mujer, que no es hablar por hablar, y, lógica-
mente, ese paso debe de ser solemne, inclusive, si me
apuras, ajustado a unas palabras rituales, acuérdate
de lo que decía la pobre mamá, que en paz descanse.
Por eso, por mucho que él la defienda y por voces que
dé, no me seduce la fórmula de Armando de salir cuatro
tardes juntos y retenerle un buen rato la mano para con-
siderarse comprometidos. Eso será un compromiso táci-
to si quieres, pero si me preguntaran a mí, no me
mordería la lengua, te lo aseguro, que yo me manten-
dría en mis trece, Esther y Armando se han casado
prácticamente sin ser novios antes, de golpe y porrazo, tal como suena, cosa que, bien mirado, ni moral

me parece. Es lo mismo que si un hombre pretendiera
ser marido de una mujer por ponerle la mano encima,
equilicual, que el matrimonio será un Sacramento y
todo lo que tú quieras, pero el noviazgo, cariño, es
la puerta de ese Sacramento, que no es una nadería,
y hay también que formalizarlo, que ya sé que fórmu-
las hay muchísimas, montones, qué me vas a decir
a mí, desde el "te quiero" al "me gustaría que fueses
la madre de mis hijos" con todo lo cursi que sea,
figúrate, de sorche y de criada, pero, a pesar de todo
es una fórmula y, como tal, me vale. Por eso porfié
tanto, Mario, cariño, compréndelo, a mí me gusta hacer
las cosas bien y tú siempre fuiste un poco parado,
desde que te conozco, inclusive ahora, si no te tomas
dos copas y entonces te propasas, un reventafiestas, a
ver, te quedas solo, empiezas a mirar torcido, sin decir
oste ni moste y a morir por Dios. Ya ves la otra noche
en casa de Valentina, que estuviste insufrible, te lo
digo como lo siento, Mario, por qué te voy a decir
otra cosa, todo el tiempo disparando los corchos de
champán contra las farolas, que a saber qué diría el
servicio, porque perder los modales es algo admisible
sólo en la gente baja, Mario, que afortunadamente
todavía hay clases, botarate, que a ti siempre te ha
salido todo esto de la educación por una friolera, y no.
Como eso de saludar en la calle sin ton ni son, que
me ponías enferma, y tú que ibas pensando en tus
cosas, bueno está lo bueno, Mario, cariño, que lo
que decía la pobre mamá, "cada hora tiene su afán",
porque la gente no tiene obligación de adivinar si eres

despistado, maleducado o antipático. ¡Hay que ver las enemistades que te has ganado por eso, y que a lo tonto! Entre esto, tus libros y tu afán de ir contra corriente, te has cargado a la ciudad entera, cariño, y eso no se puede hacer, para que lo sepas, que vivimos entre gente civilizada y entre gente civilizada hay que comportarse como un ser civilizado, que si a un conocido no le dices adiós, a santo de qué, si me lo puedes decir, vas a decírselo a un desconocido, que recuerdo el sofocón que me hiciste pasar junto a la botica de Arronde con aquel desarrapado impertinente, "perdone, ¿me quiere decir de qué nos conocemos usted y yo?", que tú cortado, lógico, que si le habías confundido y que si tal y que si cual, palabras, y el frescales de él, "no se preocupe, desde hoy ya nos conocemos", en pleno paseo, que yo no sabía dónde meterme, y, encima, venga palmaditas en el hombro, qué te parece, un barrendero o vete a saber, que qué diría la gente que nos viese. Eso no se puede hacer, Mario, por propia estimación aunque sólo sea, y por si fuera poco, "tan amigos y a su disposición", a un descamisado desconocido, date cuenta, que también son ganas de llamar la atención, cuando más sabiendo que me molesta, que no es que sea por orgullo, pero cada oveja con su pareja, calamidad, que tú en esto de guardar las formas, cero. Por eso estoy cada día más contenta de haberte hecho pasar por el aro, sólo faltaría, que lo que es por tu gusto, "yo quiero salir contigo, pero solos", mírale, que yo haciéndome la tonta, "¿a santo de qué?", "pues como novios", "pero si no lo somos, ¿no te das cuen-

ta?", y tú a escurrirte, pero ni hablar. Estas cosas,
Mario, cariño, requieren una solemnidad, que no es
cosa mía, el mundo es muy sabio, y cuando siempre lo
ha hecho así, así tendrá que ser, convéncete, si no
sería todo un lío y, por así decirlo, si tú un buen día
te largas con viento fresco a ver qué podía yo repro-
charte, nada, ¿te das cuenta?, mientras de la otra manera, no te digo por lo legal, pero siempre quedarías
como un cochero, desde el punto de vista social, quiero
decir. Y así un día y otro, aguantando, que bien que
me lo has echado en cara, pero tuviste que pasar por
el aro, tunante, sólo faltaría, y aquí, para inter nos, te
advierto que no me faltó donde elegir, ya ves Paquito... proporciones de sobra, cada jueves y cada domingo, y yo que nones, a ver, que Transi, loca, "no me irás
a decir que te gusta un poco ese sietemesino", que yo
no diría tanto, pero físicamente, cariño, tenías bien
poquito que gustar, francamente, y yo como una romántica, que no soy más que una romántica y una
tonta, "ese chico me necesita", ya ves a esa edad, me
emocionaba sentirme imprescindible, gajes, que mamá
con ese ojo clínico, que no he visto cosa igual, "nena,
no confundas el amor con la compasión", date cuenta,
los puntos que calzaba. Pero yo, ciega, lo reconozco,
que a esa edad, porque no te digo que no, pero, a lo
mejor, si el bárbaro de Armando no se pone los dedos
en las sienes y pega aquellos mugidos, que menuda
vergüenza, ni me fijo, que hay veces que el porvenir
depende de cualquier tontería, figúrate, una pequeñez
así, las cosas. El caso es que me dabas una pena horri-

ble, yo no sé, porque aquel traje marrón, me horrorizaba, te lo confieso, y los tacones de los zapatos como
roídos, así, tan triste, pero nunca se sabe, y, de repente, un día noté que empezabas a hacerme tilín, a lo
tonto, que no veas a Transi, "échale, ¿se puede saber
en qué estás pensando?", un calvario, cariño, no te
puedes figurar, a contrapelo de todo el mundo, que a
buena hora mamá, da gracias a lo de Galli, de rebote,
a ver. Mamá, aunque me esté mal el decirlo, era la
mujer más ecuánime que he conocido, siempre sonrien-
te, tan pulcra, ni una voz más alta que otra, una de
esas personas que te sedan, Mario, que hay que ver
cómo murió, ni perder la compostura, no me digas,
que lo pienso muchas veces, que mamá, antes de llegar
donde tu padre se hubiera muerto de hambre, me
apuesto la cabeza, buena era, la pulcritud en persona,
antes de hacérselo en la cama cualquier cosa, estoy
segurísima, que eso de "de la cuna a la sepultura" es
una verdad como un templo, la gente muere como
vive, el discreto en discreto y el abandonado en abandonado, ahí tienes a tu madre, sin ir más lejos, "cuída-
le; vale mucho Mario, hija", siempre satisfecha de lo
suyo, es que no fallaba, reconócelo, que otras virtudes
tendría, no digo que no, pero sus hijos, hasta el mismo José María, ya ves, menudo elemento, santos, y
Charo, para qué te voy a decir, perfecta, y los muebles
de su casa, que entre todos no valían un perro chico,
el que no era de nogal, caoba. Tu madre era graciosa,
Mario, la persona más gloriosa del mundo, qué felicidad ser así, quién pudiera, recuerdo el día que me

enseñó la fresquera en el ventanillo del baño, que yo náuseas, te lo juro, ganas de devolver, "ni el mejor frigorífico me haría la leche que esta fresquera, hija. Ni en agosto se me corta la leche aquí", imagina, luego, ya en estado, cada vez que iba por tu casa, ni pasar bocado, es que imposible, un asco, que yo creo, lo pienso muchísimas veces, que si tú nunca tuviste ambición, entiéndeme, en el buen sentido, es por haberte criado en un ambiente tan mezquino. ¡Si hasta para declararte fuiste roñoso, querido! Buena trabajina me diste pero me lo había prometido, "¿quieres ser mi novia?", ya ves qué formas, "¿a qué ton?", "pues porque sí", la cabezonada, "¿de modo que porque sí se hacen novios dos personas?", que tú, como un niño maleducado, mira que eres, "me gusta estar contigo", que yo tenía que contener la risa, te doy mi palabra, "si te gusta estar conmigo será por algo, ¿no?", que acabaste por pasar por el aro, zascandil, ¿o es que ya no lo recuerdas?, "porque te quiero", que yo te dije, me acuerdo como si lo estuviera viendo, en la Fuente del Ángel, en el segundo banco, según se entra por la Pajarera a la derecha, "eso ya es otra cosa". Pero visto y no visto, hijo, en qué hora, desde entonces venga de pasear por calles raras, sin gente, que yo al principio un poco escamada, a ver, nunca se sabe, y como hablas tan poco, que yo no me explico cómo os podéis pasar sin hablar, yo, como un hongo, palabra, que el día que Armando me dijo "Mario es enemigo de las multitudes", respiré, pero yo no sé, si eres enemigo de las multitudes a qué tanto con los obreros, que hay que ver los que son, millones de millones, y con los paletos, que Valen se troncha con tu manía de los paletos, que lo que ella dice, "hambre ni pun, hija, que matan unos cerdos que para mí los quisiera". Una de dos, Mario, que no hay quien te entienda, o eres enemigo o eres amigo, pero si eres amigo, júntate con tus iguales, zascandil, que es lo que te corresponde y deja en paz a los obreros y a los paletos que ya saben tenerse solos, ya le oyes a Paco, buenos están, y las criadas mismas, que hoy todo el mundo pide la luna. Lo he comentado con Valen muchísimas veces que parece que jugáis a los despropósitos, cariño, mucho Dios, mucho prójimo, pero si los pobres estudian y dejan de ser pobres, ¿quieres decirme con quiénes vamos a ejercitar la caridad? ¡Anda, dime, que tenéis cada salida! Y es que no os dais cuenta, porque si esto solamente lo pensaras, vaya, mal estaría pero pase, pero es que no, hay que escribirlo y escribirlo con mayúsculas, hale, bien grande, que nadie se quede sin verlo, como a ti te gusta. Si un día se quemase "El Correo", qué felicidad Mario, créeme, que lo que estáis haciendo en el periodicucho ése es labor del demonio, confundiendo a los infelices y llenándoles la cabeza de pájaros, convéncete, testarudo, que tienes la cabeza muy dura y nunca te has dado a razones, que la soberbia es lo que te repudre, cariño, siempre el yo por delante, y no digas que no, que la soberbia te enfrentó con Solórzano, ahí es nada, que el hombre te tiende la mano y tú "no señor, yo no tengo por qué agachar la cabeza", amor propio y nada más que amor propio, mira Higinio Oyarzun, no le ha ido tan mal me parece a mí, y después del barullo del acta con Josechu, el que Fito Solórzano te propusiera para concejal, era izar bandera blanca, ¿no?, lo pasado, pasado, borrón y cuenta nueva, bien claro lo decía papá en su carta, pues tú, no señor, que lo tienes a gala, "me quieren mezclar", "el precio del silencio", el disparate, cuando lo que te vienen a ofrecer es una tribuna, adoquín, un cargo de responsabilidad, ya oiste a Antonio, "entrar en el Ayuntamiento por el tercio cultural es hacerlo por la puerta grande", que no es que lo diga yo, que lo dice Antonio, entérate de una vez, cabeza dura. Bueno, pues tú como quien oye llover, "mi nombre está para sonar, no para salir", hijo, que siempre estás con esas cosas, que eres más raro que otro poco, complejos es lo que tenéis vosotros, que estáis llenos de complejos, tú dirás, siempre en clave, "para sonar, no para salir", que no hay quién os entienda, pesado, más que pesado, y lo peor es que tu hijo viene con las mismas mañas, ya le oiste ayer, "mamá, esos son convencionalismos estúpidos", date cuenta, pero de malos modos, ¿eh?, menudo sofocón, media hora llorando en el baño, te lo prometo, sin poder salir. Luego dices, prefiero yo mil veces a Menchu, con toda su vagancia que a estos jovencitos, que no sé si la Universidad o qué pero salen todos medio rojos, sin la menor consideración, que Menchu, estudie o no, por lo menos, es dócil, y mal que bien aprobará la reválida de cuarto, tenlo por seguro, y ya está bien, que una chica no debe saber más, Mario, hay que darla tiempo de ser mujer que a fin de cuentas es lo suyo. Después de todo, el bachillerato elemental es hoy más que el bachillerato de nuestro tiempo, Mario, dónde va, y de que pase el luto, la niña se lucirá y como es monilla y tiene mano izquierda, no le faltará un enjambre alrededor, y si no, al tiempo, que de algo ha de servirme la experiencia y ya me preocuparé yo de que acierte a elegir, ella es dócil y desde chiquitina no se compra un alfiler sin consultarme. Tú dirás, ya lo sé, que estrangulo su personalidad, que me pones mala, grandísimo alcornoque, porque si personalidad es negarse a llevar luto por un padre o faltar al respeto a una madre, yo no quiero hijos con personalidad, ya lo sabes, con la tuya he tenido bastante, que mis ideas no son tan malas, después de todo, y, o poco valgo, o mis ideas han de ser las de mis hijos que hasta al insolente de Mario pienso meterlo en cintura, óyelo bien, y si quiere pensar por su cuenta que lo gane y se vaya a pensar a otra parte, que mientras viva bajo mi techo, los que de mí dependan han de pensar como yo mande. No te rías, Mario, pero una autoridad fuerte es la garantía del orden, acuérdate de la República, no es que yo me lo invente, aquí y en todas partes, y el orden hay que mantenerle por las buenas o por las malas. O se es, o no se es, que diría la pobre mamá.

XII

Es un orgulloso que nada sabe, que desvaría en disputas y vanidades, de donde nacen envidias, contiendas, blasfemias, suspicacias, porfías de hombres de inteligencia corrompida y privados de la verdad, que tienen la piedad por materia de lucro, y a mí no me la dais, Mario, a vosotros lo que os fastidia de Higinio Oyarzun es el Dos Caballos, hablemos francamente, y que a los quince años de estar aquí, haya entrado en sociedad, cosa que ni tú ni los de tu camarilla habéis conseguido, ni conseguiréis, por la sencilla razón de que sois unos hurones, para qué vamos a engañarnos, que ni tenéis trato ni sabéis poneros derecha la corbata. Sí, ya lo sé, vas a decirme que no interesa, lo de la zorra, no están maduras, la de siempre, mira que eres, pero con Valen la otra noche, tú dirás, como un enano, ¡cómo lo pasaste!, y no olvides que los Rojo son de la mejor gente de aquí, para que te hagas una idea, lo que sucede es que como él es catedrático del Instituto, tienen que hacer a los dos paños, a ver. Pero si Vicente no fuera catedrático, ya te lo digo desde aquí, ¡de qué pisábamos nosotros su casal, por mucho que a Valen la vistan los escritores y así, que lo que hace ella es reírse de vosotros, como lo estás oyendo, que Valen, aunque no lo parezca, es tremenda, se ríe hasta de su sombra, no te hagas ilusiones. Y qué cena nos dio, de sueño, que sobró de todo, hasta langosta y caviar, y cómo estaba la langosta, Mario, y qué bien servido todo, ni las bodas de Canaan, como yo digo, que si tú no te propasas, una de las noches más felices de mi vida, fíjate, menuda cena, que como ella te dice "veniros a tomar una copa el sábado", le quita importancia, te piensas que va a ser otra cosa. Pero tú estuviste en un tris de armarla, querido, mira que eres, y te advierto que lo presentí, que no te lo creerás, te lo juro, nada más llegar, en cuanto entramos y vi a Solórzano y a Higinio, pensé, como te lo digo: "Mario se apoquina en un rincón o da el espectáculo", si te conoceré, en cuanto eché la vista encima a Oyarzun, que no sé de dónde esa manía, que a mí me parece un muchacho correcto, y no es hablar a lo bobo, que ya me viste, y un rato bien agradable que pasé con él, que no es que vaya a decir que tenga una gran facha, porque no, porque no la tiene, no es un Adonis si es lo que quieres saber, pero dentro de lo menudito, con ese olor a tabaco de pipa y esas corbatas que son la preciosidad, acaba por hacerse atractivo, mira lo que son las cosas. Higinio es uno de esos hombres que te dan el pego, porque de entrada no resulta, de acuerdo, pero a medida que le tratas te vas dando cuenta de que tiene algo, que me preguntas y ni idea, que empiezo por decirte que no sé si es que viste bien o que sabe llevar la ropa, que son dos cosas muy distintas, aunque esto para ti sea chino. Pero para que vayas aprendiendo, cariño, y no lo digo con segundas, hay gentes que cuando se visten para una fiesta parecen endomingadas, dan un poco de grima, así como si se hubieran quitado la pana para ir de boda, ya me comprendes, y otras que no, que es el caso de Higinio, una soltura, una gracia especial, que este muchacho, con todo lo menudo que es, le pones un chaqué y como el pez en el agua, me juego la cabeza. Se le ve a la legua que es hombre de sociedad, nada de advenedizo, y al que te diga que es un chismoso, ni hablar, todo lo contrario, para todo el mundo tiene una palabra amable, mira que motivos le sobran para estar engreído, pues como si nada, tan sencillo, date cuenta a mí, de vernos por la calle y adiós y adiós, pues, en seguida, con tus libros, que qué preparabas y que si saldría algo nuevo este año, realmente interesado. Y no digas, que tú con él, mejor es no hablar, con que si es un correveidile y un confidente, que tú dirás, cualquier otro, después de las campañas de "El Correo" y de lo de Fito Solórzano, ignorarte era poco, pues él, no, como te lo digo, como si fueras el mejor escritor de España, que yo no digo que escribas mal, entiéndeme, lo único los argumentos, pues él todo elogios, lo único que a veces se te iba un poco la mano, ya ves tú, un poco, un buenazo, eso es lo que es, que a otra cosa no, pero a ojo clínico pocas me ganan. Y lo mismo con lo de papá, no te creas, con lo de la corbata, "puede quitársela mañana, niña; España es, de hecho, una Monarquía", que yo en la luna, oye, te lo confieso, pero a él no le pareció raro, "es cosa hecha; esto está hecho desde el año catapún, pero las señoras jóvenes, entonces, no habíais nacido", una galantería, figúrate, que yo, los aparente o no, ya tengo mis añitos, por más que Paco el otro día, que estaba igual que cuando paseábamos por la Acera, qué más quisiera. Porque no sé si te he dicho que Paco me ha llevado dos veces en su coche, Mario, con siete días de diferencia, a la misma hora y en la misma parada del autobús, que también es casualidad. Pasé mi bochorno, no te creas, que menuda cola y yo que me veo venir un Tiburón rojo y, ¡plaf!, frenazo, pero como en las películas, "¿vas al centro?", que yo violenta, si es Paco, imagina, un siglo sin verle, y Crescente fisgando todo el tiempo desde el motocarro y yo acomplejada, lógico, "pues, sí", a ver qué iba a decirle, que ni me dio tiempo de pensarlo, abrió la portezuela y me colé. ¡Qué cambiazo el de Paco, querido, es que por mucho que te diga no te lo puedes imaginar! Otro hombre, eso, lo que se dice otro hombre. Los ojos sigue teniéndolos ideales para mi gusto, más bonitos, si cabe, de un azul verdoso, entre de gato y de agua de piscina, y, con los años, no sé cómo explicarte, ha cogido aplomo, que yo recuerdo de chico, un chisgarabís, y ahora representa, parece alguien, y habla correctamente, que antes era una juerga. Pues ahí le tienes, con su Tiburón, apaleando millones, que yo no sé bien dónde me dijo que trabajaba, desde luego tiene algo que ver con lo del Polo, no me hagas mucho caso, aunque buen ojo abrí cuando habló de las casas. A Higinio, en cambio, no me atreví a decirle una palabra, que fui boba, yo misma lo comprendo, que al fin y al cabo él era del Patronato, pero, fíjate, con el tiempo que ha pasado, que entonces, lo reconozco, me llevé un berrinche espantoso, pero no le iba a ir ahora con el cuento, estaba fuera de lugar me parece a mí y, además, iban cargados de razón, que algún día te convencerás, calamidad, de que en esta vida cuentan más los amigos que los títulos. Pero si tú vas y te plantas haciéndoles cara, criticándoles a todas horas, no queriendo ser concejal, negándote a firmar sus actas, ¿es que te van a dar una casa, encima? Estarían locos, Mario, desengáñate, y soy la primera en reconocer que tú no tienes la culpa, que si a ese don Nicolás que Dios confunda le hubiesen dado su merecido a su hora, otro gallo nos cantara, porque el don Nicolás y el Aróstegui y el Moyano, que más adelantaría rapándose esas barbas asquerosas, como yo digo, y toda la camarilla, el P. Fando incluido, que antes yo me pensé que era de otra pasta, te han hecho mucho daño, la verdad. Que ya me conozco la teoría de don Nicolás, "en el mundo actual, un escritor o es crítico o no es nada", palabras y nada más que palabras, que el caso es embaucar a la gente joven, carne de cañón ni más ni menos, que yo no sé a santo de qué andan ahora los chicos tan alborotados. No le trago, fíjate, al don Nicolás ese de mis pecados, que será todo lo inteligente que tú quieras pero a mala persona no le gana nadie y además se le ve venir, que ésa es otra. Quitas a su pandilla y no sé de una sola persona de la que hable bien, ¡madre, qué lengua!, mira que los versos que le sacó al pobre Canido. Claro que Canido era lo de menos, que a mí no me la da, y además, no me avergüenzo de decirlo, a mí me gustan horrores las poesías de Canido, digáis lo que digáis, que será todo lo anticuado que quieras pero pegan divinamente y se entienden de maravilla, no es como las de ahora, que hay que ver los poetas también, hijo, en clave, no los resisto, y él corriendo por ahí que "ni los versos de Canido son versos sino versículos, ni los textos de Solórzano son textos sino testículos", que Moyano, bien que se lo oí, que "Fito era de los de a puro huevo", ya ves tú, ¡qué educado!, que ni él sabe lo que quiere decir con eso. Y yo no voy a salir ahora con que Solórzano hable bien, que sería una bobada, pero tampoco mal, habla corriente, eso ni de llamar la atención por una cosa ni por la otra y, en definitiva, si a él le apetecía editar sus discursos en la Casa de la Cultura, si tenía ese capricho, pues bueno, otros tienen otros, no hace mal a nadie me parece a mí, si costeaba la edición, el pie de imprenta era lo de menos, que hay que ver cómo os pusisteis, ni que os quisiera fusilar, que no sólo le decís que no y que antes dar cerrojazo a las ediciones, que tampoco era para tanto, sino que, encima, andáis corriendo por ahí que con un discurso era suficiente, que en los otros bastaba sustituir "abrevadero", por "teléfono" o por "fuente" o por "cementerio", que no he visto peor intención en mi vida, como lo oyes. Aunque digáis misa, eso son ganas de molestar,

cariño, que os pasáis de rosca, todo el día de Dios
pinchando e incordiando, y luego, a ver, nadie os puede ver ni en pintura, lógico, ya ves la gente que vino
ayer por casa, fuera de media docena de personas que
merezcan la pena, mozalbetes y desarrapados, que
así nos crece el pelo. Si te digo mi verdad, no me explico cómo todavía no te han metido en cintura, créeme,
porque después de lo de José María tú debías haber
andado con más ojo, cuando más a la vista de los antecedentes de tu padre, de los de a mí no me metan en
líos, pero rojo también, no sé si de Lerroux o de Alcalá
Zamora, pero desde luego rojo, que menudo nido tu
casita, hijo, ni buscada con candil. Menos mal que
estaba lo de Elviro en Madrid y la guerra, que, mal o
bien, al fin y al cabo la hiciste, eso es cierto, pero lo de
José María era gordísimo, no me digas, un hombre
significado, como para poner a toda la familia en cua-
rentena, fíjate, que me hacía reír tu padre, qué pesado,
con que si fue él quien no le dejó ir a la oficina, que
eso era lo de menos, date cuenta, que cuando se pro-
clamó la República salió con la bandera y estuvo en el
mitin de Azaña en la Plaza de Toros, que hay testigos,
que no es una invención. Tú te cubres con Elviro,
Mario, pero eso no basta, que será un caído y todo
lo que quieras, pero también está lo del otro, que yo
no sé cómo te atreves a hablar de tolerancia y comprensión y que si no podemos estar toda la eternidad
como Caín y Abel, que eso a ellos, a José María y a
los de su cuerda, caínes, más que caínes, que te pones
en ridículo cada vez que dices en público que tus

dos hermanos pensaban lo mismo, habráse visto, que José María aquí se pasaba y Elviro, allí, no llegaba, siempre con tus crucigramas, calamidad, que la pones a una la cabeza loca, en vez de hablar claro. Lo mismo que con los héroes de los dos lados, o que sin un acto de expiación colectivo sería muy difícil arrancar, o que si muchachos con los ojos limpios que querían una España distinta, unos y otros, pero que la política y el dinero lo echaron todo a perder. Cómo vas a comparar, ¿estás tonto?, pero si ni a misa iban, hijo de mi alma, que la has cogido modorra con el dinero, que el dinero lo tienes o no lo tienes pero no puede pensar, ni que fuera una persona, que vosotros con tal de hacer una frase sois capaces de vender el alma al diablo. Es como lo de José María, cuando sale Charo con que dijo antes de matarle que no era la primera vez que un justo moría por los demás, ganas de hablar, que a saber qué dijo José María si es que dijo algo, que estaría muerto de miedo y rezando el Señormíojesucristo, como todos en ese trance, natural. La gente de la cáscara amarga, por la cuenta que le tiene, es muy aficionada a sacar frases y a pulirlas como a los dorados, que hay quien se alimenta de frases como yo digo, qué aburrimiento. Hay que ver la guerra que te dan a ti las palabras, cariño, que lo que dice Valen, a fuerza de darlas vueltas en la cabeza ya no sabes dónde pones los pies, que luego queréis arreglar el mundo y no sabéis de la misa, la media, que éste es el chiste, y os creéis que lo sabéis todo. Escucha, Mario, aquí, para inter nos, cada vez que Borja se dormía arrullado por la 5.ª sinfonía y tú decías, "éste es el intelectual de la familia", yo perdía la cabeza, te lo confieso, porque por nada del mundo quisiera tener un hijo intelectual, una desgracia así, antes que Dios se lo lleve, fíjate. Convéncete de una vez, Mario, los intelectuales con sus ideas estrambóticas, son los que lo enredan todo, que están todos medio chiflados, porque creen que saben pero lo único que saben es incordiar, lo único, fíjate bien, y sacar a los pobres de sus casillas que el que no acaba de rojo, acaba de protestante o algo peor. Daría media vida por meterte esto en la cabeza, querido, que ya no sé en qué tono decírtelo, que hay personas que me paran en plena calle, y no es una ni dos, siempre lo mismo, que si te has hecho rojo, imagina qué situación, con qué cara voy a contestarlos, que, luego, cada vez que te veía comulgar, me entraba un escalofrío por la espalda que no quieras saber, porque por mucho que en mi fuero interno pretenda disculparte, hay cosas que no pueden conciliarse, cariño, por ejemplo, Dios y "El Correo", pero así, sin contemplaciones, que es algo que sale de ojo. El Señor no gusta de las medias tintas, cariño, y Él me perdone pero yo creo que ese Juan XXIII, que gloria haya, ha metido a la Iglesia en un callejón sin salida, que no es que diga que fuese malo, Dios me libre, pero para mí que lo de Papa, le venía un poco grande, o, a lo mejor, le pilló demasiado viejo, que todo puede suceder. Yo no soy una mojigata ni una intransigente, Mario, ya me conoces, pero este buen señor ha hecho y ha dicho cosas que asustan a cualquiera, no me digas, porque si a estas alturas, también va a resultar que los protestantes son buenos, acabaremos por no saber dónde tenemos la mano derecha.

XIII

*Don de Yavé son los hijos: es merced suya el fruto
del vientre. Lo que las saetas en la mano del guerrero,
eso son los hijos de la flor de los años. ¡Bienaventura-
dos los que de ellos tienen llena su aljaba!* ¡Qué bonito! Pero luego la que andaba todo el día de Dios como
un zarandillo era yo. No es por nada, Mario, pero
algún día te darás cuenta de lo poco que me has ayu-
dado en la educación de los niños, que Antonio, que
es un gran pedagogo, lo dice, ya ves, que cuando el
padre se inhibe, los hijos lo notan, qué cosa, que pueden ser como cojos pero por dentro, ¿comprendes?,
tarados o eso. Claro en este punto, no es ninguna novedad, los malos ratos para la madre; que los hombres
sois todos unos egoístas, ya se sabe, que ni cortados
por el mismo patrón, pero si hay uno que se lleve la
palma a este respecto, ése eres tú, Mario, cariño y
perdona mi franqueza. ¡Hay que ver!, se te metió entre
ceja y ceja que las niñas estudiaran y ahí las tienes,
contra viento y marea, la pobre Menchu, y no te hagas
el tonto que sabes de sobra que las niñas que estudian,
a la larga, unos marimachos. En cambio, con los niños,

muy bonito, otra medida, mira tú que bien, y si no
quieren estudiar que trabajen con las manos. Pero
¿es que estás en tus cabales, Mario? ¿Te imaginas a
un Sotillo en mono? Que me aspen si te entiendo, hijo
pero la verdad es que tienes unos gustos que merecen
palos, que la vocación es muy respetable, de acuerdo,
pero hay vocaciones para pobres y vocaciones para
gente bien, cada uno en su clase, creo yo, que a este
paso, a la vuelta de un par de años, el mundo al revés,
los pobres de ingenieros y la gente pudiente arreglando
los plomos de la luz, fíjate qué gracia. Pero para las
niñas no hay vocación que valga, la ley del embudo,
como yo digo, eso no rige, y si tienen vocación de
madres, lo más noble que puede haber, que se aguan-
ten y al Instituto, por la sencilla razón de que las niñas
no pueden ser ignorantes, qué menos que el bachiller,
que me herías en lo más vivo, Mario, por si te interesa
saberlo, que yo no soy bachiller y a ti te consta, pero
el caso era quitarme la autoridad delante de mis hijos,
que ésa es una cosa que no podré perdonarte, cariño,
por mil años que viva, porque si hay algo aborrecible
en este mundo es eso, echar a los hijos contra la madre,
tarea de diablos, así como suena, y eso es lo que has
estado haciendo tú día tras día y año tras año, con una
constancia digna de mejor causa. Y, luego, en vez de
apoyarme cuando les decía que se limpiaran los zapatos al entrar en casa y que aprendieran a manejar los
cubiertos de pescado, me salías por peteneras de que
lo que debían hacer era leer y que Alvarito era muy
raro y que marcharse solo al campo a prender una

hoguera era un desvarío y otro desvarío su obsesión
con la muerte y con las estrellas, tonterías, que lo que
le pasa a Álvaro es que tiene vocación de boyescut, o
como se diga eso, que yo de idiomas, ni pun, ya lo
sabes, pero ¿a qué ton al médico? Álvaro es un chico
corriente, Mario, cualquiera que te oiga, y te pones a
ver y más me preocupan a mí otras cosas, mira Borja,
vaya salida, ¿sabes lo que me dijo ayer y le salió del
alma, que no es que sea broma? Pues va y me dice,
pero con todas las de la ley, ¿eh?, "yo quiero que se
muera papá todos los días para no ir al colegio", ¿qué
te parece?, le pegué una paliza de muerte, créeme,
que son seis añitos, ya lo comprendo, pero yo a esa
edad sentía veneración por papá, ya ves tú, que me
dicen que le ha pasado algo y me muero, que lo primero, en cuanto aprendí a leer, era buscar su firma en el
ABC, pero todos los días, ¿eh?, como costumbre, que
cada vez que la encontraba, de ciento en viento, natural, mamá, "papá es un gran escritor, nena", que yo,
para qué quería más, toda orgullosa, pero un orgullo
sano, nada de pecaminoso, no te pienses lo que no es,
y llegar al colegio y plantárselo a mis amigas era todo
uno, que ellas rabiaban porque sus padres no escribían
en los periódicos y yo, figúrate, feliz. Respeto y admi-
ración por los padres es lo primero que hay que incul-
car en los hijos, Mario, y esto no se consigue sino con
autoridad, que siendo blando con ellos te crees que les
haces un favor, y a la larga, todo lo contrario, ahí tienes el caso de Borja, con eso de que no se arrancaba y
se ponía tieso al llorar, que ya se destiesará, que se

te caía la baba con él, cuanta pamplina, que a la misma Doro la chocó, ya ves, "su papá es ciego por ese chico", nada más entrar, que con los hijos no se pueden hacer diferencias, todos iguales, ya me ves a mí, ni uno ni otro, ¡sólo faltaría!, que lo de Aran es distinto, no crece esa cría, ya sé que es la chiquitina, pero está muy baja para la edad que tiene, Mario, que sale a la tía Charo, y me horroriza, te lo digo como lo siento, que tu hermana es como un botijito, de atractivos, nada, que como buena, un pan bendito, eso ya lo sé, pero si una muchacha desangelada no es buena, ¿quieres decirme qué le queda? "Las santas feas no tienen ningún mérito y, por tanto, no son tales santas", solía decir mamá con mucha gracia, y es cierto, Mario, tú dirás, que a mamá a ingeniosa no la ganaba nadie, yo recuerdo de chica, las visitas con la boca abierta, siempre ella la voz cantante, que a mí me recuerda a Valen, que se tiran un aire, fíjate, aunque mamá, si quieres, un poco más llenita que eran otros tiempos. Se me saltan las lágrimas sólo de pensar lo mal que lo pasó con lo de Julia, que si hay alguien a quien no le pegara una cosa así, era a mamá, te lo digo en serio, tan recta, tan ponderada, tuvo que sufrir horrores, ¡con decirte que no volvió a probar los dulces! No es porque yo lo diga, pero señoras-señoras como mamá van quedando cada día menos, que ya comprendo que antes el servicio era más fácil, dónde va a parar, con veinte duros, y peco de larga, estabas arreglada, pero con todo, que esa es otra conquista de "El Correo" de la que os sentiréis orgullosos, dichoso "Correo" que no sabe más que calentar la cabeza de los pobres y ya estás viendo los resultados, mil quinientas pesetas una criada, que yo no sé dónde vamos a llegar, Mario, que estas mujeronas están destrozando la vida de familia, que ya no las hay y las que quedan, ¡válgame Dios!, tú dirás en qué se diferencian de las señoritas, los bares, los pantalones y si van al cine, a butaca, hijo, como señoras, que a veces me da por pensar que éstas son las señales del fin del mundo y me dan escalofríos, te lo prometo, que todo está ahora patas arriba, Mario, y a las señoras nos toca arrimar el hombro que es el no parar. Y tú, todavía, que me quejo; demasiado poco, zascandil, que no os dais cuenta, que los hombres me hacéis gracia, "hay que simplificar" y agarráis un día la escoba o sacáis de paseo a los niños y os creéis que habéis hecho algo, unos héroes, ya ves, que yo recuerdo tú, cuando la depresión o eso, cuando lo del expediente y lo de Solórzano, aquellos líos, venga de llorar, a cada paso, pero por nada, y qué hipo, madre, "¿te duele algo? ¿Tienes fiebre?", preocupada, a ver, que tú "sólo siento asco y miedo", que también es salida, "y ¿de qué tienes miedo, cariño?", "no lo sé, eso es lo malo", ¿qué te parece?, en cambio yo me quejaba de vicio, mis ascos no contaban, unos egoístas, que eso es lo que sois los hombres, y encima el Moyano dándote alas, que si te metías la chaqueta del pijama por el pantalón, una patochada, tú me dirás, y tú que sí, y él a reír, y que neurótico entonces. Para mí que lo que buscabas era que yo no te armara una polca por lo del expediente, que el caso era darte importancia,

que ya llovía sobre mojado, hijo, que cuando te metiste
con la Inquisición ya te llamaron al orden y el propio
Antonio en su despacho te dijo cuatro verdades, porque lo que no se puede, Mario, es querer enmendar la
plana al Todopoderoso, que tú si no estás despellejan-
do a alguien o a algo parece como que no estuvieras
a gusto, qué manía la tuya, que me sacas de quicio.
¿Es que también era mala la Inquisición, botarate?
Con la mano en el corazón, ¿es que crees que una
poquita de Inquisición no nos vendría al pelo en las
presentes circunstancias? Desengáñate de una vez, Mario, el mundo necesita autoridad y mano dura, que
algunos hombres os creéis que sólo por eso, sólo por
el mero hecho de ser hombres, ya se terminó la disciplina de la escuela y estáis pero que muy equivocados,
es preciso callar y obedecer, siempre, toda la vida, a
ojos cerrados, que buena perra habéis cogido ahora
con el diálogo, ¡Virgen santa!, que no habláis de otra
cosa, parece que no hubiera problema más apremiante
en el mundo, conque si antes no podías preguntar y
ahora preguntas pero no te responden, que para el
caso es lo mismo, que el diálogo se va a paseo. Como
el otro, el bebé ese del Aróstegui, que mejor andaría
jugando con el aro, como yo digo, que libertad de
expresión, ¿puede saberse para qué la quiere? ¿Quieres
decirme qué pasaría si a todos nos dejaran chillar y
cada cual chillara lo que le viniera en gana? Que no,
Mario, que pedís imposibles, un gallinero, eso, una
casa de locos, que por muchas vueltas que le des, la
Inquisición era bien buena porque nos obligaba a

todos a pensar en bueno, o sea en cristiano, ya lo ves
en España, todos católicos y católicos a machamartillo,
que hay que ver qué devoción, no como esos extranjerotes que ni se arrodillan para comulgar ni nada, que
yo sacerdote, y no hablo por hablar, pediría al gobierno que los expulsase de España, date cuenta, que no
vienen aquí más que a enseñar las pantorras y a escan-
dalizar. Todo esto de las playas y el turismo, por mucho que tú digas, está organizado por la Masonería y
el Comunismo, Mario, para debilitar nuestras reservas
morales y, ¡zas!, deshacernos de un zarpazo y tú,
metiéndote con la Inquisición y todas las cosas buenas, que me haces gracia, que con esas historias de
que los métodos de la Inquisición no eran cristianos,
les estás haciendo el caldo gordo, y no digo por mala
fe, que no llego a tanto, pero sí por simpleza, Mario,
que es muy discutible eso de que matar a un hombre
por no querer traicionar su conciencia no es cristiano,
porque, en resumidas cuentas, ¿puedes decirme si co-
geríamos un solo grano de trigo si previamente no eli-
minásemos la cizaña? Anda, contesta, que es muy
fácil hablar, querido, pero vamos a lo práctico, que
a la cizaña, convéncete, hay que cortarla de raíz, hasta
el exterminio, pues aviados estaríamos si no. Amor,
amor, dale con el amor, qué sabrá de amor un hombre
que la noche de bodas se da media vuelta y si te he
visto no me acuerdo, que una humillación así no la
olvidaré por mil años que viva, cariño, y perdona mi
franqueza, que ahora lo que vais a pretender es que
por amor a la cizaña dejemos perder el trigo, cuando

lo que hay que amar es al trigo, botarate, y por amor
a él arrancar la cizaña y quemarla luego, aunque nos
duela. Una poquita de Inquisición nos está haciendo
buena falta, créeme, yo lo pienso muchísimas veces,
que si la bomba atómica esa la perfeccionasen de tal
modo que pudiera distinguir, que ya sé que es una
bobada, pero bueno, y matase sólo a los que no tienen
principios, el mundo quedaría como una balsa de
aceite, ni más ni menos, ni menos ni más. Pero ya sé
que por un oído te entra y por otro te sale, figúrate si
te conoceré, si nunca me has hecho caso, Mario, cariño,
jamás de los jamases, ni siquiera cuando te advertía
que eran días malos, tú a lo tuyo, "no mezclemos
las matemáticas en esto", "no seamos mezquinos con
Dios", dale, claro que yo como un palo, a ver qué
esperabas, encima, y que digas que Dios nos ha tenido
de su mano, que no soy de tener muchos hijos, por lo
que sea, que si yo soy una de esas artesanas conejas
que los echan a pares, para qué te voy a contar. Siempre fuiste muy tuyo, calamidad, tú y sólo tú, ya lo
ves, ni a Antonio le hiciste caso cuando te llamó al
orden, que no es decir que hay esta razón o la otra,
nada, cabezonadas, que el expediente te lo ganaste a
pulso, hijo, y si no te dejaron en la calle fue por
verdadero milagro, que aún me duelen las rodillas de
rezar, no creas que es mentira, que se me deformaron
y todo. Y no me vengas con que Antonio, que Antonio, lo mires por donde lo mires, no podía hacer otra
cosa, Mario, que él, mal que te pese, te había llamado
al orden anteriormente, no lo negarás, y si un alumno

fue a quejarse, cosa que aquí, para inter nos, no me
choca nada, a él no le quedaba otro remedio que dar
cuenta a Madrid. En sustancia, lo que te he dicho mil
veces, que vosotros os creéis que esto es un circo
donde cada cual puede hacer lo que le dé la gana y
estáis muy equivocados, aquí igual que en casa, la
misma cosa, con la salvedad de que en lugar de los
padres es la autoridad, pero siempre debe haber uno
que diga esto se hace y esto no se hace y ahora todo
el mundo a callar y a obedecer, únicamente así pueden
marchar las cosas. Ya le oyes a papá, cuando la República un guirigay, no había quien se entendiese, que
¿por qué?, hijo mío no seas cerril, pues porque no
había autoridad, que para que te hagas una idea, es
lo mismo que si un día les decimos a Mario, Menchu,
Álvaro, Borja y Aran, hala, comer lo que queráis, chillar a vuestro antojo, acostaros a la hora que os dé la
gana, sois los amos de la casa, mandáis lo mismo que
papá y mamá, ¿imaginas el desbarajuste? Si es de
sentido común, Mario, no hacen falta unas luces espe-
ciales para comprenderlo, ya ves Higinio Oyarzun el
otro día, "para que un país marche, disciplina cuarte-
lera", que ya sé que Oyarzun no es santo de tu devoción, pero el mismo Antonio, tanto que dices, que tú te
piensas que él disfrutó, ni hablar, pasó unos días
malísimos, me consta, por Valen, si lo quieres saber, si
hasta vino a verme, "me duele más que hacérmelo a
mí mismo, Carmen", me decía, dime si no es de agradecer una cosa así, que, por otra parte, te pones a ver,
y más razón que un santo que lo que dijiste no era

para menos, al demonio se le ocurre, que si no es un sacrilegio poco le faltará, ya ves tú, que se os calienta la boca y ya no sabéis lo que decís. Y todavía da gracias a Vicente, que a Valen la dices que ruede por nosotros y rueda, ya la conoces, que si te ponen otro instructor o como se diga, vas arreglado, pero Valen es un encanto, ¡yo la quiero...! Y que es una mujer que está en todo, no me digas, hasta de álgebra entiende, que no la va, fíjate, eso sí, una vez por semana a Madrid a que la limpien el cutis, que así tiene ella el cutis que tiene, ¡una maravilla!, yo la quiero horrores, dices tú, ¡claro que se la nota!, nadie sabe la porquería que puede almacenar el cutis hasta que no se limpia una vez, ¡de no creerlo!

XIV

*Cuando dos hermanos habitan el uno junto al otro
y uno de los dos muere sin dejar hijos, la mujer del
muerto no se casará con un extraño; su cuñado irá a
ella y la tomará por mujer.* ¡Ya decía yo! Desde el
mismo día que mataron a Elviro, Encarna andaba tras
de ti, Mario, eso no hay quien me lo saque de la
cabeza, que tu cuñada será lo que quiera, que en eso
no me meto, pero tiene unas ideas muy particulares,
que a saber qué se pensaba, porque qué asedio, hijo
de mi alma, no hay derecho, que aquí, para inter nos,
te confieso que ya de novios, cada vez que la oía
cuchichear contigo en el cine, me llevaban los demonios y tu todavía, disculpándola, que era tu cuñada,
que había sufrido mucho, sentimentalismos, ya ves
luego, Encarna hasta en la sopa, vaya temporaditas, y,
por si no fuera bastante, dándola dinero en Madrid,
que todo se sabe, Mario, que el diablo sabe más por
viejo que por diablo, y no voy a decirte que se pusiera
a trabajar, que eso lo último, pero padres tiene me
parece a mí. Ahí tienes a Julia, con mi padre vive y
no la ha pasado nada por eso, que no es que haya pues-

to una pensión, ni mucho menos, pero lo de alquilar habitaciones a estudiantes norteamericanos es de buen tono, ya ves, que ahora está de moda, yo sé de familias estupendas que lo hacen, y no me vengas con que el padre de Encarna está paralítico, que ésa es una razón para atenderle. Porque no tiene sentido, Mario, que si cuando tu padre estuvo tan mal, que se hacía todo en la cama, ¿recuerdas?, que era un verdadero asquito, Encarna le atendía, ahora para cuidar del suyo se ande con tanto remilgo. Lo mires por donde lo mires, es un contrasentido, y no me vale eso de que su madre sea una rara y la disguste que otra intervenga, que ésas son chocheces de vieja, ya se sabe, que lo que es si Encarna se planta allí, sin preguntar a nadie, y se arremanga, ya te digo desde aquí que no rechista ni el gato, pues buena es. Pero no, como allí no hay testigos, no interesa, ¡a ver!, que con tu padre lo que ella quería era que tú la vieras y darme una lección, así como suena, Mario, darme una lección, que es una bobada, fíjate, que a mí apenas si me dejaba meter baza y a tu madre no digamos, pero todos estábamos al cabo de la calle de que tenía más fuerzas que las dos juntas. Es como ahora, cada vez que viene, con los dorados y las ropitas de los pequeños, que es una pesada, con que si los trastos esos, por la lavadora, fíjate, no hacen lo que unas manos pero que a la fuerza ahorcan, que tu cuñada se pirra por dar lecciones, y si no la alabas cinco veces cada cosa que hace te has caído, hijo, dichosa Encarna, que no veo el día en que la pueda perder de vista. Lo que la pasa a tu cuñada, cariño, es

que es un marimacho, que de femineidad, cero, como
yo digo, date cuenta Elviro, a su lado, ni se le veía,
tan escuchimizado, el sexo débil, me río yo, que no
me gusta pensar mal, Dios me perdone, pero para mí
que Encarna se la jugaba, ya ves tú, que Elviro era
demasiado poco hombre para ella. ¡Había que verla
zarandeando a tu padre! Como un niño chico, Mario,
no digas, lo traía y lo llevaba y, luego, como él no
notaba la necesidad, qué olores, hijo mío, no salían
ni con ozonopino, que estaba aquella casa como una
cochiquera, en mi vida lo he pasado peor, que tu
madre nada, en el mejor de los mundos, yo no sé si
en los casos así es que se pierde el olfato o qué, y
todavía tú que iba poco, y ¿a qué iba yo a ir si puede
saberse? Con Encarna bastaba y sobraba, Mario, que
yo con dos críos en casa tenía bastante y además, por
si te interesa, entre el embarazo de Álvaro y la fresquera del baño, que no sé en qué hora se la ocurrió a
tu madre, no podía parar, te lo juro, ni pasar un pedazo de pan, que ya es decir. Pero iba, Mario, iba por lo
que iba, que no era un plato de gusto, desde luego, que este tipo de enfermos que no se contienen, me
dan náuseas, no lo puedo remediar, que me encantaría
sentir compasión, pero no puedo, es algo superior a
mis fuerzas, qué más quisiera yo, y, luego, tu padre,
tan pesadito, que lo de prestamista no se le notaría, las
cosas como son, pero tenía la cabeza perdida, hijo, no
me digas, vaya lata, todas las noches lo mismo, "que
se vaya esa señora; es la hora de cenar", por tu madre,
tú dirás, en la vida he visto cosa igual, como cuando

empezaba, "¿te has enterado, hija?", "¿de qué?", por
llevarle la corriente, a ver, y él, "ésta no lo sabe, si es
muy divertido, hija; no se habla de otra cosa", todos
los días la misma canción, "pues no sé una palabra",
"oid", y se moría de risa, medio tosiendo, "ésta no sabe
nada", que yo pienso que tu padre hubiera estado mil
veces mejor internado, y, de repente, se ponía muy
serio, como triste, "pues ya no me acuerdo. Lo he olvidado, hija, pero era una cosa muy divertida", ¿qué te
parece?, gagá perdido, pero para encerrar, Mario, por
fuerte que sea, que habría pasado mucho con lo de tus
hermanos, que eso no lo discuto, pero el último año
de tu padre fue de abrigo y después de todo, a saber,
que muchas veces estas cosas son reliquias de juventud, de excesos, ¿comprendes?, enfermedades raras, tú
pregúntale a Luis. Y por si fuera poco, tan largo, un
año, Mario, que ni mejoraba ni se moría, una pesadez,
figúrate a qué iba a ir yo allí, a molestar, nada más
que a eso, porque atendido estaba. ¡Buena diferencia
con mamá! ¿Te acuerdas, Mario? Y eso que en una
clínica es más difícil, pero no fallaba, todos los días
camisón limpio, y las flores, que en esa situación parece que no está una para nada, pues ya veías, daba
gusto estar allí, y es lo que yo digo, si mamá, que en
paz descanse, hubiera llegado a los extremos de tu
padre, hubiese dejado de comer, me apuesto lo que
quieras, antes moriría de hambre que hacérselo, date
cuenta. De acuerdo, el señorío no se improvisa, se
nace o no se nace, es una de esas cosas que da la
cuna, aunque bien mirado, la educación, el trato,

también puede hacer milagros, que ahí tienes, sin ir
más lejos, el caso de Paquito Álvarez, un artesano
cabal, no vamos a decir ahora, que de chico trabucaba
las palabras que era una juerga, bueno, pues le ves
hoy y otro hombre, qué aplomo, qué modales, yo no
sé qué maña se ha dado, pero los hombres es una
suerte, como yo digo, si a los veinte años no estáis
bien, no tenéis más que esperar otros veinte. Y, luego,
esos ojos. Hay que reconocer que Paco siempre les
tuvo ideales, de un azul verdoso, entre de gato y agua
de piscina, pero ahora como ha encorpado y tiene más
representación, mira de otra manera, como con más
intención, no sé si me explico, y, además, como no se
apura al hablar, que habla sólo lo justo y a medio tono,
con ese olor a tabaco rubio, que es un olor, que a mí
me chifla, resulta, es uno de esos hombres que te
azaran, fíjate, quién se lo iba a decir a él. Yo daría lo
que fuese porque tú fumases de rubio, Mario, que te
parecerá una tontería, o por lo menos emboquillado,
hace otra cosa, y no ese tabaco tuyo, hijo, que ya no
se ve por el mundo, nunca he podido con él, que cada
vez que en una reunión te pones a liar uno, me enfermo, como lo oyes, que luego ese olor, a pajas o qué sé
yo, a saber qué gusto puedes sacarle a esa bazofia,
que si siquiera fuese elegante o así, vaya, pero liar
un cigarro, lo que se dice liarlo, ya no se ve más que
a los patanes, ni los hijos de las porteras, si me apuras,
que te queman la ropa y te pones hecho un asco, como
yo digo. Claro que dirás tú que a ti la ropa qué, que
ésa es otra, que nunca te dio por ahí, que me has

hecho pasar unos apuros que ni te imaginas, hijo, siempre hecho un adán, que yo no sé qué arte te das que a los dos días de estrenar un traje ya está para la basura, que ni sé cómo me enamoré de ti, francamente, que el traje marrón aquel, el de las rayitas, me horrorizaba, que yo me hacía ilusiones de cambiarte, pero ya, ya, genio y figura, a esa edad ya se sabe, romanticismos, pero ni tanto ni tan calvo, Mario, calamidad, que bien poca suerte he tenido contigo en este aspecto, que me has hecho sufrir más que otro poco. Y que no es tener más o menos, que va, que yo recuerdo a Evaristo, el Viejo, quita y pon, nada más, pero eso sí, planchado y requeteplanchado, como un pincel, había que verle, y no creas que se avergonzaba de decirlo, "me subo a una silla para ponerme o quitarme los pantalones; es la única manera", que era cuidadoso y nada más, que luego, a la noche, bien dobladitos, bajo el colchón, y una raya, Mario, que no es hablar por hablar, que no te la saca una plancha, ¡de qué! Claro que para ti tiene más valor lo que te diga don Nicolás, o el puerco ese de las barbas, que lo que te diga tu mujercita, ya lo sé, que yo no pinto nada, pero él tampoco es quien para decirme si a los sinvergüenzas se les conoce o no por la raya de los pantalones, que tú, en lugar de reírte, le debiste parar los pies, Mario, que yo no sé dónde vamos a llegar, como el otro, con que si la libertad es como una puta en manos del dinero, ya ves qué bonito, a voces, delante de mí, que no es decir que no me viese, que había saludado y todo, valiente zascandil, que es lo que yo digo, Mario, que no son formas, que si habláis en casa de esas mujeres, que no es que yo diga que esté bien, al menos deberíais andar con más cuidado, que el niño ese si quiere ser rebelde que se vaya a su casita, que lo menos que puede hacer en la ajena es guardar consideraciones a una señora. ¡Buena cosecha ha sembrado el don Nicolás ese de mis pecados! Te digo mi verdad, Mario, y no lo comentes, pero yo prefiero a Gabriel y Evaristo con todo lo sinvergüenzas que han sido toda su vida, que a esta camarilla de intelectuales o como quieras llamarles. Al fin y al cabo, Gabriel y Evaristo iban a lo suyo, y es muy humano, Dios puso en el hombre y en la mujer ese instinto y uno se explica muchas debilidades, que no es que vaya a decirte que esté bien, entiéndeme, que ya sé que al instinto hay que encauzarle y todas esas cosas, pero disculpo mejor esas extralimitaciones que las vuestras, así. Porque, en definitiva, la mujer que caiga con Gabriel y Evaristo es porque es tan sinvergüenza como ellos, que a mí bien que me llevaron a su estudio, todo lleno de cuadros con mujeres desnudas, y ya me ves, Mario, ni se me pasó por la imaginación, ya lo sabes, pues porque no, porque soy como hay que ser, ésa es la razón, que lo puedo decir muy alto, que si virgen fui al altar, fiel he seguido dentro del matrimonio, por más que tú, cariño, bien poco hayas puesto de tu parte, que a indiferente y a frío no hay quien te gane, lo mismo que para comer, ganas de esmerarse, "lo mismo da", ni lo mirabas siquiera, la cuestión era matar el hambre, eso. No me hagas caso, me río pensando en Valen, las cosas pero cada vez que me dice que siempre es distinto, que siempre hay algo nuevo, yo la digo que sí para que se calle, a ver, no la voy a decir que mi marido es un rutinario, que es la pura verdad, Mario, que en seguida te pasa y a una la dejas con la miel en los labios, ni disfrutar, que no es que diga que eso para mí sea fundamental, ni mucho menos, pero vamos, que en el fondo, quien más quien menos, a nadie le amarga un dulce. Sí, no digo que no, a lo mejor es frivolidad... frivolidad, ¿recuerdas?, "todo en el mundo es frivolidad o violencia", me lo sé de memoria, qué perra cogiste, cariño, ni leer el periódico, "es que no puedo, me suben las aguas", "tómate una digestina", "no se trata de eso", que yo de sobra lo sabía, "todo me da asco y miedo", ya ves qué gracioso, en cambio a mí no me podía dar asco la fresquera de tu casa, eso era tabú que así sois los hombres. ¡Me río yo de tu enfermedad! Nervios, nervios... cuando no saben qué decir los médicos todo lo arreglan con los nervios, porque tú me dirás, si no te duele nada, ni tienes fiebre, ¿de qué se va uno a quejar? Bueno, pues tú venga de llorar, que parecía que te mataban, madre, qué aspavientos, y que si no dormías y cada vez que lo intentabas se te hundía el jergón, menuda novedad, que eso me pasa a mí desde chiquitina, desde que era así, fíjate, como lo de soñar que te persiguen y no puedes correr, o que vuelas moviendo muy deprisa los brazos y cosas por el estilo. ¡Qué enfermedad ni qué niño muerto, Mario, querido! Los hombres os quejáis de vicio y la culpa es nuestra, que somos unas tontas, todo el día de Dios pendientes de vosotros, que si la comida, que si la ropa, porque si tuviérais miedo de que os la pegáramos con otro, entonces, ya te digo yo, ni os acordaríais de los nervios, lo que pasa es que si no os falta nada, algo tenéis que inventar para parecer importantes. Soberbios, unos soberbios, eso es lo que sois vosotros, que a ti te querría yo ver con uno de mis jaquecones, cariño, que eso es sufrir y lo demás son cuentos, que parece como que se me fuera a partir la cabeza en pedazos, te lo prometo, y tú "acuéstate, con un par de optalidones; mañana ya estarás bien", qué facilito, ¿verdad?, y qué seguridad, hijo, ni que fueras médico. Pero para ti de nada valían mis recetas, venga de atiborrarte de píldoras, y las más caras, que yo no quiero pensar en el dineral que hemos gastado en botica con tus dichosos nervios. Te apuesto lo que quieras a que si me devolvieran ese dinero, peseta a peseta, mañana un Seiscientos, como te lo digo, ¡pero si parecía que si las medicinas no eran caras no te surtían efecto, borrico, que así sois de tontos los hombres! Con uno de mis jaquecones me gustaría haberte visto, no por nada, Mario, sólo una vez, por el gusto de que supieras lo que es sufrir.

XV

*Encontráronme los guardias que rondan la ciudad,
me golpearon, me hirieron,* pero antes de nada, quiero
advertirte una cosa, cariño, aunque te enfades, que ya
sé que éste no es plato de tu gusto, pero, sin que salga
de entre nosotros, te diré que yo nunca me tragué que
el guardia aquel te pegase que, según respirabas, ni me
atreví a decírtelo entonces, pero yo estaba totalmen-
te de acuerdo con Ramón Filgueira, ¿a santo de qué
te va a pegar un guardia por atravesar el parque en
bicicleta? No te excites, por favor, reflexiona, ¿no comprendes que es absurdo? Dime la verdad, tú te caiste,
el guardia lo dijo y un guardia no miente por mentir,
que bien mirado, un guardia a las tres de la mañana
es como el Ministro de la Gobernación, te daría el
alto y tú te asustaste y te caíste, lógico, por eso te
salió aquel moratón en la cara. Lo que pasa es que tú
tienes la debilidad de la bicicleta, de siempre, que
menudos sofocones me has hecho pasar, y antes que reconocer que te habías caído, después de tanto presumir con los chicos que si el Águila de Toledo y esas
bobadas, pues, a ver, te inventaste lo del puñetazo y

todo aquel lío de la pistola, cuando te revolviste;
cuentos chinos, mira tú, que digas que venías cansado
de corregir ejercicios que eso sí debe de ser muy lato-
so, lo comprendo, todos iguales y así, pero ¿por qué
pagarla con el pobre guardia que, al fin y al cabo, no
hacía más que cumplir con su deber? Tampoco debe
ser muy agradable que digamos, plantarse en una esquina a las tres de la mañana, y así toda una noche,
Mario, que se dice pronto, y más con la helada que
caía. Y sobre todo, querido, que ya no tienes edad de
andar en bicicleta, que no eres un niño, que aunque
te obstines en agarrarte a la infancia los años no pasan
en balde, a ver, es ley de vida, contra eso no hay quien
luche, acuérdate de mamá, que en paz descanse, "todo
tiene remedio menos la muerte", que todavía en una
mujer... Si quieres que te diga la verdad no me entra
en la cabeza ese tonto afán tuyo para conservarte en
forma, correrte cincuenta kilómetros en bicicleta a lo
bobo, sin ir a ninguna parte ni nada, que hay gustos
que merecen palos, no me digas, que ese esfuerzo bien
orientado, que es lo que yo digo, ¿cómo ibas a engor-
dar? Otra cosa sería si fueses un atleta, pero físicamente tenías bien poco que perder, cariño, no valías
dos reales, larguirucho, que yo recuerdo en la playa,
tan blanquito, que es algo que por vueltas que le dé
nunca llegaré a comprenderlo, porque, si no tenías
nada, ¿qué es lo que querías conservar si me lo puedes decir? Escribir bien no sé si escribirás, que en eso
no me meto, pero lo que es de deportista ni pun, las
cosas claras, ni la facha, la antítesis, fíjate, a cada cual

lo suyo. Y si Ramón Filgueira te recibió en su despacho como un padre, que tú mismo lo reconoces, ¿a qué ton echar los pies por alto y poner al guardia de vuelta y media, si tú nunca has sido embustero? Me duele que por la tonta vanidad de no querer admitir que te caíste de la bicicleta, mintieras de ese modo, a sangre fría, mira que eres, que es algo que me choca en ti, ya ves, que por un amor propio malentendido pusieras en dificultades a un pobre diablo, que no es tu estilo ése. Pero tú, parece que lo tienes a gala, hijo, porque si de entrada te vas derecho a Filgueira y le dices sin más, "pues tiene usted razón, me he obcecado", todo hubiera cambiado, seguro, y ni él, ni Josechu Prados, ni Oyarzun, nos hubieran negado el piso, me juego la cabeza, lo que ocurre es que tú siempre has querido las cosas por las bravas, que confundes la educación con el servilismo. ¡Anda y que tampoco te ha dado guerra ni nada el dichoso servilismo! Servilismo y estructuras son dos palabras que no se te han caído de la boca desde que te conozco, y, lo mires por donde lo mires, es una manía como otra cualquiera, que para ti el estar amable con una autoridad, ya te parece una claudicación o algo por el estilo, ¿es verdad o no?, que oyéndote, hijo, parece que una fuese una estrambótica, que eso es lo que peor llevo, que por el mero hecho de tener sentido común ya la dejan a una en mal lugar, madre, qué aburrimiento. Pero, escucha, aún te digo más, dando por bueno que el guardia aquel te pegara un coscorrón, que lo dudo mucho, ¿no vale un coscorrón por un piso de seis habitaciones, ascensor, agua caliente central y setecientas de renta? Dejémonos de romanticismos y piensa con la cabeza, cariño, que tú tienes a gala nadar contra corriente, que vivimos una época práctica y eso es hacer el tonto por no decir otra cosa, porque no digo darle la razón, simplemente con mostrarte tolerante, sin avasallar, lo mismo con el alcalde que con Oyarzun y Josechu Prados, que al demonio se le ocurre decirle que a contar, ¿crees tú que ni uno ni otro nos niegan el voto para lo de la casa? Desengáñate, Mario, mal se puede recoger sin sembrar, que ya lo decía mamá, que en paz descanse, "en la vida vale más una buena amistad que una carrera", que a las pruebas me remito, mira tú, y nunca me cansaré de repetírtelo, hijo, que tú has pretendido ser bueno y sólo has conseguido ser tonto, así como suena. "Con la verdad por delante se va a todas partes", ¿qué te parece?, pero ya ves cómo nos ha crecido el pelo con tus teorías, que, por muchas vueltas que le des, en la vida no se puede estar a bien con todos y si te pones a favor de unos, fastidias a los otros, esto no tiene vuelta de hoja, pero si las cosas tienen que ser así porque así han sido siempre, ¿por qué no ponerte al lado de los que pueden corresponderte? Pues, no señor, dale con los desarrapados y los paletos, como si los desarrapados y los paletos fueran siquiera a agradecértelo, que te has pasado de listo, cariño, que cada vez que pienso que por culpa de un guardia, o de un acta o de una historia de ésas, seguimos en este tugurio, me descompongo créeme, que para tanto como eso no merecía la pena de vivir, Además, ¡qué perra con los pobres guardias!, la cogisteis modorra, como yo digo, que habría que ver la cara de Solórzano cuando firmasteis el papel aquel porque un guardia pegó con la porra a uno que saltó en el fútbol, ya ves tú qué cosa, que no le gustaría un pelo, eso fijo, si yo misma no podía creerlo, te lo prometo, cuando llamaron de Comisaría, que yo me hartaba de decir "si mi marido no va al fútbol", que luego llegaste y hay que ver cómo te pusiste conmigo, que después de todo no era para tanto, me parece a mí, vamos, que a cualquiera que se lo digas, "¿quién te manda hablar a ti, di?", bueno, hijo, ¡no te pongas así!, me preguntan y contesto, ni más ni menos, que en seguida me di cuenta, por si lo quieres saber, que detrás andaban los de siempre, el don Nicolás y la cuadrilla, a ver, una no se chupa el dedo, que el tipo ese otros defectos tendrá, pero siquiera se le ve venir, que es lo que yo digo que si a su tiempo le dan el pasaporte en vez de andar con tantos miramientos, bien de malos ratos que nos hubiéramos ahorrado. Por menos despacharon a otros, al fin y al cabo, y no me vengas con José María porque el de tu hermano es un caso de justicia, y mira que a mí qué me va ni qué me viene, que lo de no ir a la oficina era lo de menos, ya ves tú, por más que tu padre se pusiera tan pesado, que había testigos de que estuvo en la Plaza de Toros en el mitin de Azaña, y el día de la República anduvo por la Acera gritando como un energúmeno, con una bandera tricolor al hombro, que no es el caso de Elviro, que José María se pensaba que su simpatía, pero ya, ya, con las mujeres, puede, pero

eso no le vale de nada con los hombres. Además,
¿qué tendrá que ver toda esta historia con los guardias? Lo vuestro de los guardias es una fobia absurda,
querido, que hasta la propia Valen cada vez que ve
una pareja, me aprieta el brazo, palabra, y se ríe,
"si viniera Mario", dice, ya ves, pero lo que yo digo,
en el fondo lo que a vosotros os molesta es la autoridad, que os creéis que por haber salido de la escuela
ya tenéis derecho a todo y eso no, Mario, aviados estaríamos, en la vida hay que obedecer y someterse a una
disciplina desde que se nace, primero con los padres y,
luego, la autoridad, en definitiva la misma cosa. Y más
todavía, si de Pascuas a Ramos se escapa un mogicón,
en lugar de sulfurarnos, debemos aceptarlo humilde-
mente porque el que lo propina ten la seguridad de
que no lo hace por gusto, sino por nuestro propio bien,
para que no nos descarriemos. Tú decías que deseabas
las cosas limpias y que por enderezar un mal paso ya
valía la pena de vivir, orgullo puro, no nos engañemos,
Mario, porque ¿puedes decirme qué has enderezado tú,
para qué has vivido, di, si no has podido comprar a
tu mujer ni un triste Seiscientos? Amor y comprensión,
no me hagas reír, que yo soy muy clara, ya lo sabes y
tú no eres más que un llevacontrarias, siempre lo fuiste, que sacabas el genio por una futesa y, luego, deja-
bas pasar a los coches en los cruces cebrados, o com-
prabas *Carlitos* a todos los vagos de Madrid, o cedías
la vez en las tiendas, que si hay algo en el mundo que
me enerve es eso precisamente, para que lo sepas, que el
que quiera comprar pronto que madrugue, Mario, que

para eso están las colas, pues no faltaba más. No hay quien te entienda, Mario, es la pura verdad, que te pones a ver y ni tú mismo te entiendes, ya ves lo del lechazo de Hernando de Miguel, se lo tiras por el hueco de la escalera, que casi lo matas, y luego te pasas la tarde mano sobre mano, "que estos conflictos entre la caridad y la corrupción no hay quien los resuelva", vaya un problema, que no me dieran a mí más que eso, que te pones imposible, hijo de mi alma, porque una cosa es que escribas esos rollos para el que los quiera leer y otra que me los sueltes a mí, mano a mano, que me ponías la cabeza loca, te lo prometo, y si yo aprovechaba para hablarte del dinero o del Seiscientos o de cualquier cosa importante, tú, "calla", como si no fuera contigo, que no hay cosa que más me subleve que el que hables de lo que te gusta y calles la boca cuando te conviene. Tu norma es ésa, Mario, tenértelas tiesas con los que mandan y ceder con los desarrapados, ya ves qué bonito, porque lo que yo digo, o cedes con todos o no cedes con ninguno, o sacas el genio o no lo sacas, pero querer quedar siempre de pie, unas veces llevando la contraria y otras tirándote por el suelo me parece muy requetemal, para que lo sepas. Valen se ríe, todas se ríen porque no tienen que soportarte, que me gustaría verlas en mi lugar, cariño, ni dos semanas, fíjate lo que te digo, que Valen dice que no tragas ni a las corbatas ni a los viejos, y en eso no va descaminada, las cosas como son, porque ¿a santo de qué, si no, esa manía tuya con los hombres de menos de 40 años, con que no se les deja hablar y a lo

mejor se entendían? ¿Puedes decirme quién no les deja
hablar, hijo de mi alma, si son los que más alborotan,
que hoy día no se puede andar por la calle de las
voces y las motos esas, que no hay ya respeto, ni consideración, ni nada? El espíritu de la contradicción, eso
es lo que tú eres, todo a destiempo, ya ves con lo de
tus padres, ni mojar la pestaña, como se suele decir, y
después por un capricho, todo el día de Dios con las
lágrimas colgando, madre mía, que parecías un llora-
duelos. Los nervios, me río yo, que sentías angustia por
el miedo de no acertar con el camino honrado, y que
me envidiabas a mí, a mí, date cuenta, lo que me
quedaba por oir, y a los que como yo estábamos seguros de todo. A ver, hijo, ¿pues qué te habías creído?
Cuando una tiene la conciencia tranquila, déjalos que
rabien, que eso es lo que debías hacer tú, zascandil,
si tanta envidia te doy, mirarte en mi espejo, y dejar
en paz al Aróstegui y al Moyano y a toda la camarilla,
menudos ejemplares, que a veces me da por pensar
que la única temporada que has estado bien fue cuando enfermaste, date cuenta, que te parecerá un chiste,
que a ti lo que siempre te ha mortificado es obedecer
y callar, lo mismo que a los jovencitos esos que tanto
defiendes, que, te pones a ver, y son el desecho, así, la
basura, aunque tú salgas con la patochada de que
"víctimas sin culpa", frases, Mario, te lo digo y te lo
repito, porque puestos en este plan, ¿puede saberse
qué culpa tengo yo de no tener un coche cuando todas
mis amigas lo tienen? ¿Y mamá? ¿Qué culpa tenía
mamá que en paz descanse?, y, sin embargo, sufrió

la guerra y la guerra la costó más que a otros aunque
no lo pregonase, porque lo de Julia es peor que la
misma muerte, Mario, entérate de una vez, que tú
siempre sacas a relucir a tus padres y a tus hermanos,
que eres un egoistón y nada más que un egoistón, pero
nunca se te ocurrió pensar en los míos. No le des
más vueltas, cariño, obedecer es lo que te recome, obedecer y callar, al fin y al cabo, de casta le viene al
galgo, mira Charo, ¿por qué crees que tu hermana se
salió de monja?, pues por lo mismo, querido, idem de
lienzo, porque no sabe obedecer ni sabe callar, por alzar
el gallo, porque ni tú ni ella, ni ella ni tú, os resignáis
a someteros a una regla, y lo que pasa, ahora descen-
trada, a ver, ni dentro ni fuera, cada día más rara,
que yo te aseguro que si los domingos la sigo mandan-
do los niños es por caridad, caramba con la casita,
Mario, ni un panteón, ya le oyes a Álvaro, "prefiero no
comer que comer en casa de la tía Charo", lógico, me
lo explico perfectamente, que ella, tu hermana, a lo
mosquita muerta, que me puede, fíjate, venga de sacar
a los abuelos y a los tíos a relucir, ya ves qué ocurrencia, hablarles de muertos a los niños, que lo hago por
lo que lo hago. Y Charo no es una excepción, qué va,
tu vivo retrato, nunca estará a gusto en ningún sitio,
igual que José María, todos cortados por el mismo
patrón, por más que tú digas que tu hermana es efi-
ciente pero eso lo dices por chincharme, ya te conozco,
porque no tiene servicio, pero ha llegado un momento
en que no la resisto, te lo puedo jurar, con esa sosería,
si parece que se va a desmayar, y luego la cara tan

lavada, que ésa es otra, que a los diecisiete años, vaya, pero a su edad no está ni medio bien, Mario, siquiera por respeto a los demás, que es hasta desagradable de mirar una piel tan terrosa y tan seca. Si lo dices por fastidiarme estás listo, Mario, por mí puedes decir misa, ya te lo advierto, que no vas a hacerme de menos por eso, pero, por si quieres saberlo, no soy una señorita inútil ni de las que vuelven la cara, que el año del hambre, cuando hizo falta, bien que me fui con el tío Eduardo por los pueblos más asquerosos a buscar garbanzos y lentejas para que mis padres comieran. Y no creas que los coches de antes eran como los coches de ahora, con gasógeno, hijo, ¿qué te habías creído?, pero no me importaba, y si volviera a hacer falta, volvería a arremangarme, porque otra cosa, no, pero a sufrida nadie me gana, ya lo sabes, que lo puedo decir muy alto.

XVI

Ve, come alegremente tu pan y bebe tu vino con alegre corazón, pues que se agrada Dios en tus buenas obras. Vístete en todo tiempo de blancas vestiduras y no falte el ungüento sobre tu cabeza. Goza de la vida con tu amada compañera todos los días de la fugaz vida que Dios te da bajo el sol. Pero el caso es que me pongo a pensar y divertido, lo que se dice divertido, no te he visto en la vida, Mario, ni en el viaje de novios siquiera, que ya es decir. Según Valen, la noche esa es un trago y yo la doy la razón, lógico, no voy a decirla que diste media vuelta, pero, en cambio, de día, todo el mundo lo pasa en grande menos nosotros, que yo recuerde en Madrid, "¿nos sentamos en este café?", "como quieras", "¿nos vamos al teatro?", "como quieras", pero ¿es que no sabías decir otra cosa, tonto del higo? Una mujer es un ser indefenso, Mario, necesita que la dirijan, calamidad, por eso me hubiera horrorizado casarme con un hombre bajito, que la autoridad debe manifestarse inclusive en la estatura, fíjate, que te parecerá una bobada. Pero a ti todo te daba de lado; los escaparates, ni mirarlos; la animación, ni caso;

el cine, ¡bah!; los toros no te gustaban. Sinceramente.
Mario, ¿crees que eso es un viaje de novios? ¡Y si sólo
fuera eso!, pero, por si no bastara, siempre con cara de
ciprés, como pensando en otra cosa, que es lo mismo
que cuando regresaste de la guerra, hijo, no se me
olvidará mientras viva, mira que todo el mundo andaba
loco por aquellos entonces, pues tú, no señor, y eso
que la habías ganado, que si la llegas a perder... No
hay quien te entienda, Mario, cariño, y me hace sufrir
lo que nadie sabe ver que no eres normal, que la vida
no te digo que no tenga contrariedades, ojalá, pero hay
que sobreponerse, hay que disfrutarla creo yo, ya ves
mamá, a todas horas, "nena, sólo se vive una vez",
que lo oyes así y parece que no, que es una tontería,
pero te paras a pensar y en esa frase hay mucha filo-
sofía, tiene mucha miga, Mario, más de lo que parece,
bueno, pues tú, no señor, lo primero, los defectos. Y no
es que yo vaya a decir que no haya injusticias, ni corrupción, ni cosas de ésas que tú dices, pero siempre
las ha habido, ¿no?, como siempre hubo pobres y ricos,
Mario, que es ley de vida, desengáñate. Yo me troncho
contigo, cariño, "nuestra obligación es denunciarlas",
así, lo dijo Blas, punto redondo, pero, ¿quién te ha
encomendado a ti esa obligación, si puede saberse?
Tu obligación es enseñar, Mario, que para eso te hiciste catedrático, que para denunciar la injusticia ya están
los jueces y para remediar las penas, la beneficencia,
que os ponéis insoportables con tantas ínfulas, dichoso
don Nicolás, que yo no sé cómo la gente lee "El Correo",
si se cae de las manos, hijo, no trae más que miserias y

calamidades, que si miles de niños sin escuelas, que si hace frío en las cárceles, que si los peones se mueren de hambre, que si los paletos viven en condiciones infrahumanas, pero, ¿puede saberse qué es lo que pretendéis? ¡Si hablarais claro de una vez! Porque si a los paletos les ponen ascensor y calefacción, dejarían de ser paletos, ¿no?, vamos me parece a mí, que yo de eso no entiendo, pero es como lo de los pobres, pues siempre tendrá que haberlos, digo yo, porque así es la vida, y si la vida es así no hay por qué poner cara de palo, que ocurrente, lo que se dice ocurrente, no te he visto más que cuando te bebes dos copas, que hay que ver el sofocón que me hiciste pasar la otra noche en casa de Valentina disparando los corchos del champán contra las farolas. Y te advierto que me lo olí, ¿eh?, te lo juro, nada más entrar, en cuanto vi a Fito Solórzano y a Oyarzun, me dije: "Mario se apoquina en un rincón o da el espectáculo". Si te conoceré, querido, no en balde llevo más de veinte años a tu lado. Lo mismo que con Encarna en Madrid, cuando ganaste las oposiciones, seguro que bebiste, ¡a que sí!; me apuesto lo que quieras a que la celebración no se terminó con la cerveza y las gambas. ¿Dónde fuisteis después? Lo que yo daría por saberlo, Mario, no te puedes ni imaginar, que seguro que por aquellos entonces te reirías más que ahora, fijo, que eso es lo que más rabia me da, que para los de fuera tengas una cara y otra distinta para tu mujer. Dime tú, a ver si no es para mosquearse, que eso no se te ha pegado de don Nicolás, ya ves, sólo lo malo, que torcido será un rato largo, pero se le ve venir, ésta es la ventaja. Él se ríe de su sombra, pero se le ve venir, anda que si se le ve venir, por más que a mí, te lo prometo, con sus chismes no me hace maldita la gracia, ya ves la otra noche, con lo de cuando estuvo preso, durante la guerra. ¿Te crees tú una palabra de la historia esa del tipo aquel que les puso en filas y le dijo al cabo: "Respondo de 367, cuenta, si hay 366 sal a la calle y agarra al primero que pase, y si hay 368 coge el último de esta fila y fusílale". Cuentos chinos. Naturalmente, el último de la fila era él, si no la cosa no tendría chiste, pero ¿te crees tú una palabra de todo eso? A mucho conceder, el tipo aquel lo diría en broma, por guasearse, para pasar el rato, a ver, que tampoco debe ser plato de gusto estarse las horas muertas, mano sobre mano, encerrado con más de trescientos rojos, sin poder hablar con nadie, ni nada. Yo no puedo con él, créeme, es algo superior a mis fuerzas, que tendrá facilidad de palabra y escribirá todo lo bien que quieras, que no lo discuto, pero es un embrollón y una mala persona, que ya no sabe lo que inventar para ponerlo en el periódico y dar guerra. Ahora te lo puedo decir, Mario, nunca he tenido mayor alegría que el día que puso aquella nota "El Correo" diciendo que se marchaba, cuando nombraron subdirector a su hermano, a Benjamín, ¿recuerdas?, y le dijeron, "si su hermano Nicolás se desmanda, usted se va a su casa", que me parece muy requetebién, a ver, legítima defensa, que don Nicolás, por él, nada, natural, para eso tiene el riñón cubierto, pero por su hermano ya pondría un poquito más de cuidado. Y en resumidas cuentas, nada entre dos platos, que ahí sigue el muy ladino, bajo cuerda lo mismo que antes, un poco de prudencia al principio y, luego, idem de lienzo, la de siempre. Es curioso los humos que ha echado el bueno de don Nicolás, papá le recuerda, un hombre de origen humildísimo, que no te lo creerás, su madre lavandera o algo peor, que lo que me extraña es que la gente bien le haga caso, porque por listo que sea, ¿qué puede dar de sí el hijo de una lavandera, intelectualmente me refiero, Mario, me lo quieres decir? Papá, siempre lo está diciendo, cada vez que ve a un tipo de éstos que suben como la espuma, dice, "para lograr una cabeza discreta se necesitan al menos cuatro generaciones". Y no me vengas ahora, Mario, que papá podrá caerte mejor o peor, pero no es un cualquiera, tú lo sabes, en el ABC desde el año catapum, que no es de hoy. Y tú mismo viste qué Memoria Pedagógica te hizo cuando las oposiciones, de primor, vamos, que, luego, bien poco te acordaste de él, que al pobre se le veía dolido, aunque, bueno es, no dijera una palabra. ¡Pobre! No puedes hacerte idea de las horas que echó en tu Memoria, hijo, si hasta habló dos veces con don Lucas Sarmiento, el Decano, que estuvo en casa, yo no podía parar, me acuerdo como si fuera hoy, como el rabo de una lagartija, que todo el tiempo "¿sabrán hacérsela?", imagina lo que nos iba en ello. Y te pones a ver y papá no tenía ninguna obligación que, al fin y al cabo, fue un despiste tuyo, como de costumbre, que parece que vives en la luna. ¡Mira que después de tanto tiempo presentarte sin la Memoria que era un requisito indispensable! Es que no cabe en cabeza humana, vamos, y todavía, dale, que creías que era un trabajo de investigación, y para eso seis meses de archivo en archivo, una pérdida de tiempo, tú me dirás, que eres un caso, hijo, lo mismo que cuando dijiste adiós al desarrapado aquel, junto a la botica de Arronde, que de buena gana te hubiera dado un cachete, que la pones a una en evidencia. Pues el pobre papá te sacó del apuro, pero una vez que pasó, si te he visto no me acuerdo, una cartita de cumplido y para de contar. ¡Pobre papá! Yo creo que en ocho días no durmió, palabra, que recuerdo que decía, "no soy un historiador, pero lo intentaré, lo intentaré", ni levantar cabeza, te lo juro, en una semana sin levantar cabeza. Claro que el hombre que vale, vale, y, no es porque yo lo diga, pero te hizo un trabajo de libro, Mario, que la mínima atención que debiste tener con él, y no me digas que no te lo advertí, fue editárselo en la Casa de la Cultura, que a él le hubiese hecho feliz, fíjate, que el pobrecillo, no es porque sea su hija, con bien poco se conforma. Pero tú nunca tuviste detalles, ésta es la verdad, Mario, la cartita de cumplido y sanseacabó. Y no es que yo vaya a decir ahora que la Memoria de papá fuera una cosa extensa ni complicada, que eso no, de acuerdo, pero estaba muy bien escrita, no me digas, que yo, aunque no me da por ahí, como era cosa tuya, me la leí, ¡tres veces, date cuenta!, y me encantó, que no te lo creerás, todo eso del método regresivo, o como se llame, eso de estudiar la Historia para atrás, como

los cangrejos, porque las guerras y esas cosas no suce-
den en balde, son por algo, y como decía papá, que en
la cómoda tengo todavía un ejemplar, ya ves, con esa
facilidad que él tiene para escribir, "te remontas de las
consecuencias a las causas". Yo estoy segurísima, ya
ves, de que si aprobaste fue por papá, que nunca se
sabe pero en este caso concreto, fue una suerte que
te despistaras, porque tú serás muy minucioso y todo
lo que quieras, pero nunca hubieras hecho un trabajo
tan bonito como el de papá, porque papá es buenísimo,
Mario, que me estoy diciendo bueno hasta mañana y
todavía no he empezado a decir todo lo bueno que es,
y ten por seguro que hubiera venido ayer de no estar
tan viejecito, que el pobre ya no está para nada, ésa
es la pura verdad, que Julia dice que ni sale de casa,
figúrate en Madrid con tanto tráfico, natural, pero menudo telegrama ha puesto, Mario, el más sentido, y
luego tan bien redactado, me hizo llorar, yo que me
estaba haciendo la valiente, no me pude contener,
fíjate, que menudo disgusto tendrá el pobre. En cuanto a Constantino, mejor que se quede en casa, que, te
pones a ver, y ni te conocía. Y, por otra parte, no me
gusta un pelo que se roce con Mario, que será una
suspicacia si quieres, pero yo no puedo mirar a ese
chico como a un sobrino corriente, no lo puedo remediar, me parece como que llevara escrito en la cara
que es hijo del pecado, ya ves. ¡Qué vergüenza, Mario,
cómo los encontré, si vieras! Fue el mismo día que se
tomó Santander, no se me olvidará en la vida, abra-
zados, revolcándose en la alfombra, ¡qué espanto, no

lo quiero ni pensar! Y el carota de él, todavía, que
"jugábamos, bambina", sinvergüenza, que casi me da
un patatús, es que no faltó ni el canto de un duro.
Y el caso es que yo hubiera jurado que a Galli le
gustaba yo, pero si Julia le dio pie, él, a ver, no es
tonto, sabía adónde iba, conmigo podía haberlo inten-
tado, que me dio una rabia espantosa, pero no dije
ni pío, por vergüenza, a ver, que mamá ni se enteró
hasta que Julia empezó a abultarse y entonces la llevó
a Burgos y luego a Madrid. Pero imagina lo que fue
aquello para mamá, que en paz descanse, un golpe de
muerte, ella tan correcta, tan bien relacionada, porque
lo de Julia fue la comidilla, que tú en la luna, hijo,
que no me explico, que se enteraron hasta las ratas,
que esas cosas por mucho que se quiera no se pueden
ocultar. ¡Pobrecita mamá, lo que ella pasó! Con decirte que hasta escribió a Roma está dicho todo, que ella
pretendía deshacer el primer matrimonio de Galli,
¿comprendes?, pero él, por lo visto, tenía dos hijos
con la otra y eso es lo malo, los hijos para estas cosas,
según dicen, fatal, es dificilísimo. Y en medio de todo,
papá se ponía gracioso: "Y que este tipejo me haya
hecho a mí saludar con el brazo en alto", imagina, con
lo monárquico que es, estaba furioso, bueno, furioso
es poco, que se comprende, si coge a Galli en aquellos
momentos yo creo que le estrangula. Yo, te lo confieso, estaba deseando casarme para contarte todo, ¿te
acuerdas que tú me preguntabas de novios por Julia y
yo te decía, bien, en Madrid, en Bellas
acuerdas? Pues era por eso, que en cuanto acabó la

guerra, ella se fue allí con el niño y ya no volvió, y cuando mamá, que en paz descanse, murió, papá se fue con ella, la perdonó, te advierto, porque llevaba siete años lo menos sin hablarla. Y mamá, casi peor, con lo golosa que era, dejó de comer dulces, fíjate, pero para siempre, que menudo sacrificio. Pero yo, antes de casarnos, pensaba en la cara que pondrías cuando te lo dijera, que no veía el momento de las ganas, y en el tren, te lo planté, ¿recuerdas?, que no quieras saber el coraje que me dio, tú tan terne, que debes de tener sangre de horchata, hijo mío, "Dios es misericordioso; las guerras trastornan muchas cosas", que qué tendrán que ver las guerras con la vergüenza, que te hubiera matado, porque si por algo me compensaba lo de Julia, bueno, compensarme no, ya me entiendes, era por contártelo, que yo me decía "se va a quedar helado", y, luego, ni caso, lo mismo que cuando me vine a todo correr a decirte lo de Maximino Conde para una novela, es que ni mirarme, "bastante desgracia tiene", ya ves qué salida. Y lo que me indigna es que si eso para ti no tiene importancia, no me hayas agradecido el que yo sea de otra manera, porque, por si lo quieres saber, yo con Evaristo, o con Paco, o con mi ahijado el legionario, o con el mismo Galli, o con el lucero del alba, pude hacer lo propio, cuando me hubiera dado la gana, fíjate, y si no lo hice es por respeto a unos principios, pero hoy parece como si eso de los principios fuese una ridiculez, que yo no sé dónde vamos a parar, y que si una es buena y honesta es por pura casualidad. Porque dime una cosa, Mario, ¿te hubiera gustado a ti

casarte conmigo después de acostarme con Galli Constantino? No, ¿verdad? Pues, entonces, botarate, ¿a qué
ton tanta indulgencia con mi hermana? Hay que ser
imparciales, cariño, y Julia, hablando en plata, fue una
sinvergüenza, ¡qué guerra ni qué ocho cuartos!, que
vosotros por meteros con la guerra sois capaces hasta
de negar la luz del día, ni más ni menos, que lo de
Galli lo disculpas y luego tú, cuando podías, que ésa
es otra, que ya estábamos con la bendición y todo,
media vuelta y hasta mañana, que eso es algo, fíjate
bien, que no podré olvidar por mil años que viva,
excuso decirte, un desprecio así, que ni a Valen me
atrevo a contárselo, date cuenta, con la confianza que
yo tengo con Valen.

XVII

*La mujer insensata es alborotadora, es ignorante,
no sabe nada. Se sienta a la puerta de su casa o en
una silla en lo más alto de la ciudad, para invitar a
los que pasan y van de camino,* pero él no me llevó
derecha al centro, la segunda vez quiero decir, que le
dije, "me chifla tu coche, ni suena ni nada", y él, entonces, dio media vuelta y salió como un cohete por la
carretera del Pinar. Yo le decía, "vuelve, Paco, ¿estás
loco? ¿qué va a decir la gente?" y él se reía y decía,
¿sabes lo que decía?, decía, "déjales que digan misa",
que no le preocupan las habladurías ni tanto así. ¡Qué
cambiazo ha pegado Paco, Mario, es que por mucho
que te diga no te lo puedes ni imaginar! Los ojos,
para mi gusto, siempre los tuvo ideales, de un verde
raro, entre de gato y de agua de piscina, pero es que
ahora ha cogido un qué sé yo, como un aplomo, un
señorío que no tenía antes, que yo me acuerdo de
chico, un verdadero chisgarabís, y le ves ahora y habla
despacio, con pausa, sin trabucar una palabra, que
antiguamente era una juerga. Pues ahí le tienes, cariño, con su Tiburón, apaleando millones, que ya no

recuerdo bien dónde me dijo que trabaja pero desde
luego algo de representaciones que tiene que ver con
todo este lío del Polo, no me hagas mucho caso.
¡Y cómo conduce, Mario!, si da gloria verle, no hace
un solo movimiento de más, que parece que ha nacido
con el volante entre las manos. Eso sí, no te vayas a creer,
de reojo me miraba todo el tiempo, que al pasar por
El Merendero me dijo, "estás igual, pequeña", y yo,
"¡qué bobada!, date cuenta los años que han pasado",
y él, muy fino, "el tiempo no pasa lo mismo para
todos", ya ves tú, una galantería, pero que se agradece,
Mario, que una por muy mujer hecha y derecha que sea
no es de cartón-piedra, que a ti parece como que te cos-
tara decirme una palabra amable. Luego, se paró y me
dijo, de repente, que yo lo que menos me esperaba,
que si sabía conducir, date cuenta, y yo que muy poco,
casi nada, y él, que siempre me veía en la cola del
autobús, entre gentuza, imagina qué trago, que te aseguro que pasé más vergüenza que en toda mi vida
junta, pero a ver qué podía decirle, pues la verdad,
que no teníamos coche, que me gustaría que le hubieras visto, "¡no! ¡no! ¡¡no!!" a voces, dándose manotazos
en la cabeza, como no creyéndolo, a ver, que en estos
tiempos es absurdo que una señora tenga que esperar
el autobús, Mario, que a todo el mundo le choca menos a ti que ni sientes ni padeces. Desengáñate, querido, hoy un coche es un artículo de primera necesidad, ahí tienes al propio don Nicolás, un Milquinientos, y si tanto caso le haces para unas cosas, a ver
por qué no le imitas en todas, que me da rabia la

verdad, que para lo malo sea San Nicolás y para lo bueno, un cero a la izquierda. El espíritu de la contradicción, eso es lo que tú eres, que me pongo a pensar y ni un solo gusto me has dado en la vida, borrico, acuérdate del traje de novia, claro que eso ya me lo podía figurar, pero yo creí, al principio, que era por lo de tus hermanos, o por la enfermedad de tu padre, o vete a saber. Y yo, bien sabe Dios, que no lo quería por presumir que, al fin y al cabo, con traje blanco o sin él, una no deja de ser lo que es, pero después de lo de Julia, tú dirás, la gente, con la recámara que se gasta, que habría que oírla, y tú, todavía, "que ¿qué?", a ver si crees que te lo van a decir a ti. Lo blanco, Mario, por si no lo sabes, es símbolo de virginidad, para que te enteres, que, hoy por hoy, llevar al altar a una mujer vestida de calle es como pregonar a los cuatro vientos "aquí me desposo en segundas, o con una cualquiera", que no quiero ni pensarlo. Pero sobre todo por mamá, Mario, que yo al fin y al cabo, pues mira, no soy ni más ni menos por eso, pero después de lo pasado, a mamá la hubiese gustado que la gente pensase: "Ahí viene una virgencita", pues porque sí, Mario, porque somos humanos, por todo, porque para una mujer la pureza es la prenda más preciada y nunca está de más proclamarlo, que, te guste o no, eso siempre será un ejemplo para la gente baja, que, no es porque yo lo diga, pero en este punto anda cada vez más relajada. Y así, de calle, como un día cualquiera, que a saber qué se pensarían, y además sin motivo, que es lo que más rabia me da, que yo no sé si tú tendrías algo que ocultar, hijo, pero lo que es yo podía entrar en la iglesia con la cabeza bien alta por si te interesa saberlo. Te digo mi verdad, pero yo que los del Concilio, en vez de andar todo el día de Dios revolviendo con que si las píldoras esas, ya ves, a buena hora, cuando una está toda deformada cargada de hijos, que tampoco es justo, me parece a mí, porque o todas o ninguna, que ahora va a resultar que la parejita, como esas extranjerotas, es lo decente, pues en lugar de eso, Mario, definirme, el traje, así como suena, pero radical, como un uniforme, para todas, y la que no sea digna de llevarlo tampoco es digna de contraer matrimonio, al arroyo, que si antes anduvo en él no sé por qué luego le va a hacer ascos. Un poquito de intransigencia, eso, eso es lo que nos está haciendo falta, convéncete, que si no va a llegar el día en que la mujer honesta no se diferencie de la perdida, ya la oyes a Valen, ahora, en Madrid, todas las mujeres de la calle arregladas como nosotras, nada de exageraciones, tú dirás, que yo que el gobierno, un decreto, así, como te lo digo, que no sé a santo de qué ahora todo se vuelve a proteger a los patanes, los protestantes y las fulanas, y mientras, las mujeres honradas que nos muramos. Claro que si me lo dices a tiempo, hijo, ¡a buena hora! Pero no, tres meses antes, después de la pedida, por si acaso, cuando una no puede dar marcha atrás. "La boda es un sacramento, no una fiesta". ¡Bendito sea Dios!, y te quedaste tan fresco, como de costumbre, a ver, te saliste con la tuya, que me gustaría que hubieras visto a mamá, la pobre, venga pucheros, que, después de lo de Julia, esto, para ella, la puntilla. Pero ¿que sabes tú de caridad? Prefiero no acordarme de tu conferencia, Mario, y todavía, venga, "eso son pataletas lógicas, no te preocupes; ya se la pasará", ¿habráse visto egoísmo? ¡Cínico, más que cínico!, perdona, Mario, cariño, que no sé lo que me digo, que me pongo como loca cada vez que pienso en el traje que tenía pensado, con el talle un poco alto, de corte princesa, que hubiese dado el golpe, seguro, fíjate, que los hombres no tenéis ni idea de lo que eso significa para una mujer. Pero es igual, tú tieso en tus trece, que a buena hora si me lo dices al hacernos novios, da gracias a que después de la pedida yo no podía dar la campanada, que si no... En definitiva, la tonta fui yo, ya ves Transi, te caló de entrada, que ella sería un poco así, eso no admite duda, que hasta se dejó pintar por Evaristo medio en cueros, que lo que yo la dije, "no debiste hacerlo", pero como si cantara, que luego hasta se casó con él y pasó lo que tenía que pasar, bueno, pues ella, desde que te puso la vista encima, te caló, que no es que lo diga por decir. Y a Paquito, en otro estilo, idem de lienzo, que Transi otra cosa no, pero ojo para los chicos un rato largo, que le ves ahora a Paco y un hombre de mundo, y no es decir el coche, es todo él, su persona, no sé cómo explicarte. Los hombres es una suerte como yo digo, si no estáis bien a los veinte no tenéis más que esperar otros veinte, menuda, quién pudiera. Pero a mí me la diste con queso, Mario, que quién lo iba a decir, sentado con un periódico al solazo de agosto, las horas muertas, frente al mirador, mirando, y no es decir un día ni dos, que yo pensaba, "este chico me necesita; se mataría si no", que siempre fui una romántica y una tonta, nada de maliciada, bien lo sabes tú. ¡Pero mira para lo que me ha servido! Y no es que me queje de vicio, Mario, que tú lo puedes ver, veinticuatro años de matrimonio, que se dice pronto, y ni una triste cubertería, que cada vez que invito, que ya se aburre una, una cena fría, a base de canapés, qué remedio, siempre lo mismo para no variar, el caso es no utilizar más que cuchillos y tenedorcitos de postre, que muchísimas veces me pregunto, Mario, si mereceré yo este castigo. ¡Si una naciera dos veces! Desde aquí te digo que tendría más vista, que las tontas somos nosotras por vivir pendientes de los maridos y de los hijos, que a Valen la sobra razón, que se adelanta más no mostrando excesivo interés, lógico, que, si no, cogéis y ¡hala!, a exigir, tráeme esto y lo otro y lo de más allá, que os lo creéis todo debido los hombres, todos cortados por el mismo patrón, Mario, por más que lo tuyo pase ya de castaño oscuro, que con los extraños venga zalemas y atenciones y en casa, punto en boca, que eso es lo que peor llevo, fíjate. Es como lo de Madrid. Mira que a mí me gusta Madrid, Mario, que es locura por Madrid, que me chifla, todo lo que te diga es poco, bueno, pues prefiero no ir, que a eso hemos llegado, porque para pasar malos ratos mejor me quedo en casa, que para pieles y cuatro caprichos no habrá dinero, pero para porquerías de ésas de hacer pompas, o para retratarnos del brazo por la Gran Vía,

qué menudas vergüenzas me has hecho pasar, rico, o
para *Carlitos* y bobadas de ésas todo era poco. "Todo
el mundo tiene que vivir!", ¡qué bonito!, eso, todo el
mundo tiene que vivir menos una, una es aparte, una
se encapricha por un Seiscientos y como si cantara,
como si pidiera la luna, que ya lo sé, Mario, que a
poco de casarnos eso era un lujo, ya lo sé, pero hoy
es un artículo de primerísima necesidad, te lo digo y
te lo repito, que hoy un Seiscientos, hasta las porteras,
y no me desdigo, pero si los llaman ombligos, hombre
de Dios, porque todo el mundo los tiene, con eso
está dicho todo. Pues tú que nones, y al muerto de
hambre del fotógrafo que bien, que de acuerdo, que
tirara una placa, una inconsecuencia, tú dirás, a ver
cómo llamas tú a eso, que luego, si te he visto no me
acuerdo, que sabe Dios la de retratos que nos habrán
sacado en las bodas y así y tú me dirás dónde andan.
Y tú, dale que le das, que todo el mundo tiene que
vivir, que si tú eras más que ellos, ya ves, más que
ese charlatán de los *Carlitos,* que hace falta cuajo, no
era por tener más talento sino porque se te han dado
más oportunidades, jeroglíficos y ganas de enredar.
Vagos, eso es lo que son ésos, una cuadrilla de vagos,
que en lo que te enseñan los monigotes si te pueden
quitar la cartera no te creas que se lo piensan dos
veces. El mejor de ellos, date cuenta, debería estar tras
una reja, que luego decís de los que mandan, que
para mí, si de algo pecan, es de demasiada blandura,
fíjate, que ya no es el gasto sino las vergüenzas que
me has hecho pasar en la Gran Vía, mirando las cabrio-

las del *Carlitos* ese, o del tipo de las pompas de jabón,
que parecíamos dos paletos haciendo tiempo para el
coche de línea, ¡qué horror! Y, todavía, ésos eran
inofensivos, pero ¿y los presos? Hijo de mi alma si
hubo meses con las amnistías o eso, que parecía nuestra casa la sucursal de la cárcel, que me gustaría saber
a mí quién te dio vela para este entierro, qué olores,
y el olor, pase, pero por ayudar a un preso, por si no
lo sabías, te pueden detener, como lo oyes, por cóm-
plice o como se llame, que Armando, cada vez que se
lo decía, se hacía de cruces y con razón. Y tú que no
eran delincuentes comunes, vaya salida, pues mucho
peor todavía, botarate. Al fin y al cabo, cariño, el cri-
minal lo es en un arrebato, se ofusca, a ver, pero lo
que es los otros, a ciencia y paciencia, fíjate, a sangre
fría, que no es decir me obcequé, ni mucho menos,
que son malos por naturaleza y nada más. Bueno, pues
como quien oye llover, que estaban en la calle, lógico,
a ver dónde iban a estar, y suerte para ellos, hijo, que
deberían pudrirse en la cárcel, que si les sacan, hazte
a la idea, es por pura caridad, por caridad mal entendida, desde luego, con eso de las amnistías, que den
gracias que viven en el país que viven, si no, ¡de qué!
Y eso es lo que no queréis entender vosotros, zascan-
diles, que confundís la generosidad con la debilidad
y menudos añitos me has hecho pasar pensando a cada
rato que te iban a llevar con esa gentuza, botarate,
que bastante pasé ya cuando lo del tren al demonio se
le ocurre, toda la noche en vela, lo que se dice ni
pegar ojo, todo por irte de la lengua, dichosas palabras,

que Antonio dice que estar veinticuatro horas en la Prevención son ya antecedentes, imagínate si eso es verdad, que no quiero ni pensarlo, vaya un legado que les dejas a los niños, pobrecitos, el día que se den cuenta.

XVIII

Hijo de hombre, voy a quitarte de repente lo que hace tus delicias, pero no te lamentes ni llores, no derrames una lágrima. Suspira en silencio, sin llevar luto por el muerto; ponte el turbante en la cabeza y calza tus pies, no te cubras el rostro ni comas el pan del duelo, y no es por dármelas de adivina, Mario, pero cuando murió tu madre y te vi tan campante, como si nada, me di cuenta del orgullo que te recome. Y la pánfila de Esther todavía, "tu marido tiene una gran dignidad en el dolor", ya ves, puntos de vista, que me dan a elegir entre Esther y Encarna, Encarna y Esther y me quedo con la del medio, fíjate, que, cada una en su estilo, en su vida han hecho otra cosa que malmeterte. Dignidad en el dolor, ¿qué te parece? También son ganas de trabucarlo todo. Y cuando llorabas por leer el periódico ¿qué? Entonces estabas enfermo, qué bonito, que me apuesto lo que quieras a que si tú te pones a cantar el día que se murió tu madre a Esther la hubiera parecido muy bien, a escape hubiera encontrado una razón para justificarte, me apuesto lo que quieras. Es como Luis: "Exceso de con-

trol emotivo. Depresión nerviosa", me río yo, que los
médicos, cuando no saben qué decir, todo lo achacan
a los nervios, que es muy cómodo eso. Es lo mismo
que cuando te quitaste el luto a los dos días porque
te entristecían tus pantorrillas, habráse visto, y, encima, Esther que te comprendía, que el luto es una rutina estúpida que hay que desterrar. Anda que estaría
bueno que no te entristecieran tus pantorrillas, ¡pues
para eso es el luto, zascandil!, ¿qué te habías creído?
El luto es para recordarte que tienes que estar triste
y si vas a cantar, callarte, y si vas a aplaudir, quedarte
quieto y aguantarte las ganas, que yo recuerdo el tío
Eduardo, cuando lo de mamá, en el fútbol, como una
piedra, igual, ni en los goles, fíjate, que llamaba la
atención, y si alguno le decía, "¿pero tú no aplaudes,
Eduardo?", él, enseñaba la corbata negra y sus amigos
lo comprendían muy bien, ¿qué te crees?, "Eduardo
no puede aplaudir porque está de luto", decían, y
todos conformes, a ver, para eso es el luto, botarate,
para eso y para que lo vean los demás, que los demás
sepan, con sólo mirarte, que has tenido una desgracia
muy grande en la familia, ¿comprendes?, que yo ahora, inclusive gasa, que no es que me vaya, entiéndeme,
que negro sobre negro cae fatal, pero hay que guardar
las apariencias. Claro que estas leyes para ti no rigen,
ni por supuesto para el zángano de tu hijo, que ahora
te toca recoger lo que has sembrado, natural, los niños
ya se sabe, lo que oyen en casa, a ver, menudo sofocón
me hizo pasar ayer. Pero yo tengo la conciencia muy
tranquila a este respecto, Mario, que cuando murió tu

madre, me acuerdo como si fuera hoy, ni a sol ni a
sombra, no te dejaba en paz, "llora, llora, que luego eso
sale y es peor; anda, llora" y tú callado, como si no
fuera contigo, hasta que saltaste, "¿por la costumbre?",
que tampoco son formas, me parece a mí, que me
dejaste parada, la verdad, que yo iba con la mejor
intención del mundo, te lo juro, y si te decía que llora-
ses era por la misma razón que no dejo bañarse a los
niños después de comer, que parece como que una
fuese una estrambótica y una rara. Lo lógico, cuando
a uno se le muere la madre es llorar, que ya me viste
a mí, que no es hablar por hablar, no me consolaba
con nada, ¡qué temporadita, cielo santo! y tú ni caso,
palmaditas en la espalda, y besitos sin ton ni son, eso,
lo menos comprometido, ni siquiera hacerme el amor,
que dice Valen que en las desgracias eso consuela,
que yo en la inopia, que a inocentona y a ingenua no
me gana nadie, lo comprendo, que parezco tonta. Verdaderamente tú tienes el don de la inoportunidad,
cariño, ya ves ahora, que me desnude, imagínate, a la
vejez viruelas, con los músculos del vientre tronzados,
la espalda llena de mollas y hecha una calamidad. Pues,
no señor, no me da la realísima gana, si eso te gustaba
habérmelo pedido a tiempo, que yo, aunque me esté
mal el decirlo, tuve una gran figura, un poco de más
de poitrine, quizá, que no es que ahora me queje,
entiéndelo bien, que si me fío de Eliseo San Juan,
una Venus, ya ves, pero una no tiene ya edad para
exhibiciones y, sobre todo, no está de humor. Las cosas
a su tiempo, Mario, y en vez de dar media vuelta y

hasta mañana, que pasé una humillación que no te imaginas, habérmelo pedido entonces y todos contentos. Es como lo de los presos, que llevas el espíritu de la contradicción en la sangre, hijo mío, porque lo que yo digo, si quieres hacer algo por los demás, pobres hay montones y a Cáritas, con un poquito de habilidad, se la torea, como yo hago, porque Cáritas por mucho que tú la defiendas, lo que ha hecho es impedirnos el trato directo con el pobre y la oración antes del óbolo, que yo recuerdo con mamá, antiguamente, rezaban con toda devoción y besaban la mano que los socorría. ¡Buenos están los pobres ahora, anda, mírales, todos revueltos! Pero ¿quieres más? ¿No andabas ahora a vueltas con los locos del Manicomio, que lo que no se te ocurra a ti, hijo, no se le ocurre a nadie, con que si era una pena cómo vivían y un bochorno para la ciudad, que hasta vergüenza me daba coger "El Correo" los domingos? Pero ¿es que estás bien de la cabeza, Mario? No debería decírtelo, pero Josechu Prados, por si lo quieres saber, se tronchaba el otro día en el Círculo y decía que tú lo que querías era "hacerte la cama", como diciendo que no estás en tus cabales, ¿te das cuenta? Pero Josechu anda despistado, que para vosotros el caso es pinchar, aunque sea en hueso, porque emplear un dineral en un manicomio nuevo es una sandez, Mario, convéncete, ¿es que no te das cuenta del derroche, de que es tirar el dinero? ¿qué saben esos desgraciados, borrico, si el edificio es nuevo o viejo, si hace frío o si hace calor? Si están en el Manicomio es porque están locos y si están locos es

porque no se enteran de nada, ni sienten ni padecen,
se creen que son Napoleón o el mismo Dios en persona
y tan felices, a ver. Y aunque no te des a razones, es lo
que yo digo, Mario, ¿para qué más? ¿para qué tirar
el dinero en unos pobres diablos que ni te lo van a
agradecer? Sí, ya sé que Esther estaba de tu parte y
los de la tertulia esa de mis pecados, idem de lienzo,
y que nada más hermoso que dar a los que no piden,
pero ¿para qué malgastar en unos seres que lo tienen
todo?, porque si ellos se lo creen, Mario, es como si lo
tuvieran, desengáñate, y si les pones una bañera nueva
y una sala de juegos y un jardín, pues a lo mejor les
haces polvo, vete a saber, porque con ellos no hay
forma de entenderse... Y no te pienses que a mí no me
apena su desgracia, pero, por fortuna, todavía tengo la
cabeza en su sitio y estoy de acuerdo con Armando
en que pretender cargar con todo el dolor del mundo
no es más que un acto de vanidad. Que te pones a
mirar, cariño, y la vanidad es lo que te ha echado a
perder, que tú mismo reconocías bien de veces, que
escribiendo esas cosas y comprando *Carlitos* y dejando que nos retrataran en la Gran Vía y ayudando a los
presos, no aliviabas a los demás tanto como te aliviabas a ti, y entonces empezabas a darle vueltas a si lo
tuyo, en el fondo, no sería más que egoísmo, que, en
definitiva, es lo que siempre he sostenido. Porque si
te agradaba complacer a los demás, ¿por qué no a
Solórzano cuando te quiso nombrar Concejal? ¿Por
qué, di? Después de tu choque con Josechu Prados, y
de tus artículos en "El Correo", que llevaban dinamita,

hijo, y del expediente, y de los antecedentes de tu
padre y de tu hermano, que ésa es otra, la actitud de
Fito Solórzano no podía ser más elegante, me parece
a mí, era un cable que te echaba, "tenga, agárrese,
borrón y cuenta nueva". Y, por si fuera poco, ya
oíste a Valentina, "entrar en el Ayuntamiento por el
tercio cultural es hacerlo por la puerta grande". Bueno,
pues aunque así sea, borrico, tú, no señor, "el precio
del silencio", la copla de siempre. Porque aun admi-
tiendo que Fito Solórzano no te invitara a sentarte,
que lo dudo, o que se pusiera a fumar sin ofrecerte,
¿qué importancia tiene eso? Él venía dispuesto a hacer
las paces, eso está claro, que no sé a cuento de qué
te pusiste así al ver tu nombre en los pasquines,
que a mí, ni me atrevía a decírtelo, me hizo hasta ilusión, lo reconozco, así, de sopetón, con letras tan
grandonas. ¡Alabado sea Dios!, Mario, que el propio
Vicente lo dijo, "en la vida he visto a Mario tan alterado, estaba como si le hubieran prendido un par de
banderillas", que no es para tanto, vamos, y duro "que
contaran antes conmigo", pero alma de Dios, ¿es que
también va a haber que contar con la gente para
hacerla un favor? Porque si fuera para pedirte, pase,
pero, vamos, una cosa así, que lo mires por donde lo
mires, es un honor, pues te faltó tiempo, ¿eh?, que a
saber qué saldría por esa boca, menudas ínfulas llevabas, que no me choca que ni te mandara sentar ni
te ofreciera un pitillo, bueno es, lo raro es que no te
diera un puntapié, que méritos hiciste para ello, hijo,
las cosas como son. Y todavía que estuviste firme pero

correcto, a saber, que según saliste de casa lo dudo mucho, no te sulfures, y, después de todo, lo que él te dijo, que no tenía por qué contar con nadie y que si no podías desempeñar el cargo, tiempo habría una vez que salieses elegido, que antes no había por qué, que mayores miramientos no caben, me parece a mí. Y si a ti te parece correcto decirle lo que le dijiste, que a saber cómo se lo dirías, que no te gustaban los juegos donde no se podía ganar, yo, la verdad, no sé lo que es la corrección. Y tú que ni te tendió la mano, siquiera, pues ¡sólo faltaría! Yo en su pellejo, te meto en la cárcel sin más preámbulos, como lo oyes, hay que ver, un desacato semejante y, encima, en el antedespacho, te desahogaste a gusto, con el Delegado y Oyarzun, que tuvo que oirte, fíjate, que si tu nombre era para sonar, no para salir y sabe Dios qué disparates, que ni sé cómo ninguno de los dos te ha vuelto a mirar a la cara, que lo peor es que les vocearas que era del dominio público que el propio Oyarzun, Arronde, el boticario, y Agustín Vega, saldrían por unanimidad y que diera la casualidad de que acertases, que a mí lo que más me chocó, francamente, que me disgusté y todo, es que no tuvieras ningún voto, me extraña pero que muchísimo, fíjate, que el propio Filgueira, que era concejal entonces, me lo dijo la víspera, como lo estás oyendo, palabra, "mañana voto a su marido", que luego no sé si se volvería atrás o qué, una cosa rara. Pero tú no tenías por qué molestarte por eso porque ni lo sabías, que buen cuidado tuve en callármelo, de forma que no venía a cuento que te pusieras como te pusiste, madre, que en un mes ni se te podía dirigir la palabra, ¡qué cosas!, que tú las gastas así, ya ves con Encarna. Si te repugna verla comer y ni la hablas casi ni nada, que no me extraña, porque tu cuñada activa será lo que quieras pero de conversación, cero, ¿a santo de qué la invitas a pasar temporadas? Porque hay que ver, tu cuñada será y sufrir habrá sufrido, no digo que no, pero en qué hora, hijo, que hemos tenido Encarna hasta en la sopa. Y que no vamos a decir que Encarna sea un huésped barato, Mario, que tu cuñada come por tres, no se sacia, que hay que verla cómo se pone de fruta, como un Pepe, hijo, al precio que está, y no digamos el pescado, que es la ruina, figúrate el besugo con la caída que tiene, y que luego ande con disimulos echando los huesos en los platos de los niños, es algo que no resisto, me saca de mis casillas, te lo prometo. Y luego, esas rarezas de encerrarse a leer en el baño y que si los niños la marean, y que se callen, pues los niños son niños, ya se sabe, y si no la gustan bien cerca tiene la puerta, que nadie la ha llamado, como yo digo. Y no es que yo tenga celos, Mario, ya me conoces y de sobra sabes que nunca me dio por ahí, pero aunque ahora esté más asentada, siempre es desagradable convivir con una mujerona que te ha querido birlar el marido, cariño, porque después de lo de Elviro, a mí no hay quien me saque de la cabeza que Encarna estaba por ti. Y cuando terminaste las oposiciones, la faltó tiempo, a la votación, ya ves qué sabrá ella de esas cosas, que la gusta meter la nariz en todo, y, después, a celebrarlo,

que mejor es correr un tupido velo, que a saber qué
haríais esa noche, y por mí, bien lo sabe Dios, poco
importa, pero figúrate si los niños llegaran a saberlo,
y por la memoria de Elviro, Mario, que al fin y al cabo,
feo o guapo, tu hermano era. A poco que me hubieras
estimado, Mario, nunca hubieras metido en casa a esa
mujer, con esas despachaderas que se gasta, que no
sé si será de buena familia o no, pero la traza es de
verdulera, hijo, así como suena, un marimacho, había
que verla con tu padre en brazos, de acá para allá,
como un zarandillo, y aquel olor, que yo estaba de tres
meses y lo recuerdo como una pesadilla. Y no te vayas
a pensar que Encarna lo hiciera por caridad, sí, sí, por
caridad, ¡para que la vieses, hijo!, ¡para deslumbrarte!,
y, de paso, restregarme a mí por las narices que era
una inútil. No, Mario, no, a tu cuñada la tengo aquí,
y si lo hago es por lo que lo hago, que lo que es
gustarme, ni un pelo, si es que lo quieres saber, y no
me vengas con que la cocina porque eso bien poco
significa, peor si me apuras, que hay que ver qué fre-
gaderas me arma, a lo grande, y, luego, con esa cabeza
que tiene, hay que estar siempre encima, que si la sal,
que si el perejil, total que terminaba antes haciéndo-
melo sola. Eso por un lado, que si pones peseta a peseta, una detrás de otra, lo que Encarna representa, mañana un Seiscientos, Mario, ¡qué digo!, un Milquinientos y puede que me quede corta.

XIX

Lleno de angustia oraba con más instancia; y sudó como gruesas gotas de sangre que caían hasta la tierra.

"¡Dios mío, me siento solo; estoy como acosado", una obsesión, ¿eh?, ¡qué manía! Pero, ¿quién te acosa, hombre de Dios, que no son más que ganas de darte importancia? Si, precisamente, eras tú quien tenía a gala encararte con el mundo, decir a la gente que era mala, que Cristo no era como nos le querían hacer ver nuestros intereses. Estas tú bueno, cariño. ¿Es que crees que únicamente tú sabías cómo era Cristo? Eso es una vanidad diabólica, Mario, desengáñate, pues aviados estaríamos si Cristo iba a volver al mundo para comprar *Carlitos* y canutos de hacer pompas a todos los vagos de Madrid y dejarse retratar en la Gran Vía, para que coma el fotógrafo, qué ideas. ¿Es que tú te crees, Mario, pedazo de alcornoque, que si Cristo volviera a la Tierra se iba a preocupar de los locos, de si tienen frío o calor, cuando todo el mundo está harto de saber que los locos ya no pueden ser ni buenos ni malos? ¿Crees tú, por casualidad, que Cristo iba a tirarle un lechazo a Hernando de Miguel por el hueco de la escalera, o a preocuparse de si un guardia le pega un porrazo a un gamberro, o a insolentarse con un Gobernador, ya ves Poncio Pilatos, o a decirle a Josechu Prados que contase cuando se trataba de un fin bien bueno, que el mismo papá lo dice, que la Monarquía en este país la única garantía de orden? ¿Te imaginas a Cristo escribiendo los artículos que escribes sobre los paletos, una gente que no hace más que blasfemar, o atacando a la Inquisición o renegando del luto por los muertos? Pobre idea tienes tú de Nuestro Señor, cariño, "le hemos desfigurado; le hemos desfigurado", y ¿no eres tú el primero? Por si te interesa saberlo, Mario, Cristo no hubiese tenido nunca un hermano rojo, ni un padre prestamista y, de tenerlos, ten la seguridad de que no se hubiera quedado tan fresco, ni hubiese alzado el gallo, ni, por descontado, hubiera hablado de la caridad como tú hablaste, que hay que ver la pobre Bene la ilusión que tenía, que se pasó semanas enteras rondándome, "Mario es el más indicado; si él quisiera", que a mí me sorprendió, palabra, lo pronto que me dijiste que sí. Porque no hay derecho, Mario, abusar así de la confianza de las del Ropero, menudo sofocón, un feo semejante, porque si aceptas es para hablar de la caridad como Dios manda, que tenías un auditorio de lo más selecto, palabra, y te lo cargaste a las primeras de cambio, con lo de los festivales benéficos, que lo que Valen decía, "¿qué mal hacemos jugando bridge por los pobres?" Pues, ninguno, naturalmente, zascandil, que si jugando bridge remedias una necesidad, bendito sea el bridge. Pecar y así es lo que no se puede, pero juegos y fiestas, ¿por qué no? ¿Qué mal hay en ello? Y, luego, la bomba, que me dejaste sin sangre, que yo decía, "se arma, hoy se arma, ¿dónde va este hombre?", y tú dale con que "hoy la caridad reside en secundar las demandas de justicia de los desheredados y que taparles la boca con una tableta de chocolate y una bufanda puede incluso ser un ardid", que entonces empezó el rumor y yo pensaba, "le linchan, le linchan y con toda la razón". La cogiste modorra, como yo digo, con que si la caridad sólo debe llegar donde no alcance la justicia, que la gente, y yo la primera, en el limbo, toda la conferencia sobre ascuas, hijo, que creí que me enfermaba del corazón, Dios mío, qué palpitaciones, y cuando empezaron a patear, deseé con toda mi alma que me tragase la tierra, como te lo digo, ni se te oía, y a la pobre Bene saltándosele las lágrimas, y tú accionando, todo sofocado, ¡qué horror!, que en medio del barullo la de Arronde, a voces, "a ver mañana qué dice la prensa, ¡qué vergüenza!", y, a la salida, no quieras saber, de rojo para arriba, que yo, callada, como una muerta. Y no te digo nada, al día siguiente, en el Centro, con "El Correito" que Dios confunda, dándote alas, que muy valiente, que el lenguaje que hay que emplear en este siglo, que en la línea conciliar, que te advierto que quemaron más de una docena de ejemplares y dieron "mueras", menos mal que Bene, que es medio santa, las aplacó, que buenas estaban. Y gracias a que "El Noticiero" se metía contigo, que demagógico y eso, que para mí fue la puntilla, Mario, te lo

juro, que "El Noticiero" es de fiar, fíjate, un periódico
católico a machamartillo, de derechas de toda la
vida. Y luego que estás solo, botarate, pues, ¡no vas a
estarlo!, la pobre Bene, con la ilusión que tenía, "Mario
es un cielo, dale las gracias", me decía todo el tiempo,
menudo jarro de agua fría, que después tú mismo lo
sentiste, no digas que no, como con lo del lechazo, que
si hablar de caridad en ese lenguaje a personas que no
entendían la caridad era faltar a la caridad, un gali-
matías, hijo, crucigramas, que tiras la piedra y luego
te duele la descalabradura como yo digo, y que duda-
bas y la duda te hacía sufrir, y que si callas, la conciencia te reprocha, y si hablas, te reprocha también,
ya ves qué problema, pues habla con educación, hijo,
que con Bene lo que procedía era todo lo contrario
de lo que hiciste, estimular a la gente a dar y a ir a
las fiestas benéficas y, al final, hubiera sido un detalle
simpático que subastases tu pitillera o algo así, un
objeto personal. Pero cualquiera te aconseja, Mario,
con los humos que te gastas, si yo ya no me atrevo ni
a decirte que te cambies de traje para planchártelo, y,
luego, que estás solo, pues no vas a estarlo, adoquín,
no era eso lo que andabas buscando, di. ¿No te lo
advertí ya cuando lo de la casa, que a este paso nadie
nos va a poder ver ni en pintura, tanto criticar, tanto
criticar, que parece como que le sacarais un gusto a
revolcaros en el cieno? Es como lo de tus libros, cuando no eran de cosas raras que nadie entiende, eran de
muertos de hambre o de paletos de esos que no saben
ni la A. Y si los paletos no saben leer, Mario, y a la

gente bien le traen sin cuidado los paletos, ¿puede
saberse para quién escribías? Y no me salgas con
que se pueden escribir cosas para nadie, porque eso
no, Mario, que si las palabras no se las dices a alguien no son nada, ruidos o garabatos, vamos creo
yo, no sé. Pero a ti no hay quien te apee de la burra,
cariño, ni una sugerencia, hay que ver, con la carrera
que me di para contarte lo de Maximino Conde y la
hijastra, un argumento de película, fíjate, que toda la
ciudad pendiente, total para nada, y sí que era un
poco así, lo reconozco, tirando a verde, pero en la novela, al final, haciéndole reaccionar a él en decente,
quedaba inclusive aleccionadora. Pues no señor, mejor
los paletos y los muertos de hambre, ¡con tu pan te lo
comas, querido!, pero luego no te quejes si estás solo,
que quitas a Esther, Encarna y los de la tertulia y
para de contar. Y si afinamos un poco ni los de la
tertulia, fíjate, que había que oir al Moyano ese, el de
las barbas, hace cosa de un mes, con el articulito aquel,
"Los redentores", o como se llamase, que yo no lo
entendí del todo, te lo confieso, pero a fuerza de leerle
creo que saqué el sentido, pero lo que sí te aseguro
es que aquello de "que todos los redentores aman al
prójimo, unos para redimirle de veras y otros para
utilizarle de pedestal" cayó como una bomba, pero
entre todo el mundo, ¿eh?. Oyarzun creo que bramaba
y el Moyano ese no digamos, hijo, que se le oía desde
el portal. ¡Jesús, cómo se puso!, que luego tú, "dejadme; un hombre no puede abrir la boca sin ofender",
la frasecita de rigor, cómo no, literatura, zascandil,

mírate en mi espejo, ¿ofendo yo?, dime la verdad, ¿ofendo yo?, no, ¿verdad?, pues mira, bien de ello que hablo, que no paro, una tarabilla, tú me dirás, que a veces, si no tengo con quien, pues yo sola, fíjate qué risa, cualquiera que me viera, pero me importa un bledo. Tú, en cambio, ya se sabe, si abres la boca es para fastidiar, hoy, ayer y todos los días. Acuérdate del expediente, ¿qué podía hacer Antonio? Cumplir con su deber, ni más ni menos, y todavía da gracias que fue él, que no te dejaron en la calle de verdadero milagro, que aún me duelen las rodillas de rezar, que se me deformaron y todo. Y si un alumno va y se queja, Antonio, a ver, a Madrid, no tenía otra alternativa, pero sobre todo si tú no sueltas la lengua, no tenía por qué haber habido Antonio ni Antonia. Porque Antonio te aprecia, Mario, me consta, que hasta vino a verme, "me duele tanto como hacérmelo a mí mismo, Carmen, créeme", ¿quiéres más?, que yo, "no tienes por qué darme explicaciones, Antonio, sólo faltaría", a ver, y ayer, ya le viste, de los primeros, y para hoy ha suspendido las clases y todo, que cómo se ha portado. Tú te lo guisas y tú te lo comes, Mario, no lo demos más vueltas, que al demonio se le ocurre decir una cosa así. ¿Tú crees que un cristiano puede decir a boca llena, en plena clase, que era una lástima que la Iglesia no apoyase la Revolución Francesa? ¿Te das cuenta de lo que dices? Y la pánfila de Esther que ciertamente fue una lástima, ¡Dios de los cielos!, ¿es que estás en tus cabales, Mario, una blasfemia así? ¿Pues no era la Revolución Francesa aquella de las

tiorras desgreñadas que cortan la cabeza al rey y a las
monjitas y a toda la gente buena, la de Pimpinela
Escarlata o eso? Vamos, que se necesita cuajo para
decir una cosa así, qué principios ni qué niño muerto.
¡Válgame Dios!, cómo van a ser cristianos unos principios que consisten en cortar la cabeza a la gente de
bien y en cuanto al fin, ya lo estás viendo, que a sinvergonzonería y a descreimiento a Francia no le gana
nadie, ya ves Valen, el verano pasado, y no es que sea
una ñoña, escandalizadita volvió para que te enteres.
Pero a ti que lo mismo te da, que tienes una conciencia
como un saco, hijo, ¡qué tragaderas!, al domingo siguiente a comulgar, tan tranquilo, como si nada, que
a Bene, que te vió, la faltó tiempo, "se habrá confesado, ¿verdad?" y yo, "me imagino", tú dirás qué podía
contestarla. Dios te habrá perdonado, Mario, que mala
voluntad no tenías, eso creo, vamos, pero a veces me
daba por pensar que hacías comuniones sacrílegas y
tardaba un cuarto de hora en dormirme, te lo prometo, de la incomodidad, que eso es algo que me
aterra. Y lo que más me duele es pensar que tú al
principio no eras así, que han sido el don Nicolás ese
y su cuadrilla los que te han llenado la cabeza de
pájaros, y eso para verlo desde fuera, pase, pero que
el hombre que piensa y hace esas cosas sea tu marido,
es un martirio, te doy mi palabra de honor, que Valen
se ríe, a ella la quisiera yo ver. Claro como Vicente es
el hombre más equilibrado que existe, lo de los demás,
por mucho que les quieras, que a mí Valen me lo ha
demostrado, se ve como en el teatro. Ella me decía,

Valen quiero decir, date cuenta, me decía: "A tu marido y esa gente les falta un tornillo, hija. Pero te confieso que a mí me divierten, me hace gracia verles empeñados en que el mundo ruede al revés. Son unos tipos, pero ándate con ojo, éstos son los que se suicidan o se mueren del corazón". Así, Mario, como lo estás oyendo, te lo juro, como si lo hubiera presentido, y yo, la verdad, que se mueran del corazón los hombres de negocios, que de un telefonazo pueden ganar o perder millones, lo comprendo, pero que te mueras del corazón tú, un hombre que jamás se ha preocupado del dinero, que tiene una mujer que de dos saca cuatro, un hombre al que no le ha faltado nada, que no es que vayas a decir esto o lo otro, no hay derecho, la verdad, no hay derecho y no hay derecho. Ya te digo, me lo explico en los hombres importantes, pero que tú, Mario, un don nadie, para qué nos vamos a engañar, te vayas a morir porque los locos vivan en un manicomio feo, o porque te dé una torta un guardia, o porque Josechu no cuenta los votos, o porque Solórzano te quiere hacer concejal, o porque los paletos no gasten ascensor, es algo que no me cabe en la cabeza, las cosas como son. Claro que la tonta fui yo, que nadie tuvo la culpa, que tu misma madre ya me lo advirtió que eras un chico muy retraído y eso, y en cuanto llegabas del colegio, lo primero las alpargatas y al brasero, a leer. Ya ves qué plan para un niño, que luego saldrá Encarna con que si hago o dejo de hacer, que sabrá ella, que si de niño hacías eso, de mayor idem de lienzo, ya se sabe, genio y figura. "Estoy solo, Carmen", me

decías hace tres días, ¿te acuerdas?, aquí mismo, que
yo como si no te oyera, que si hablo es para ponerlo
peor, pero ¿qué querías, encima? ¿Que Solórzano o
Josechu te vinieran a dar explicaciones? Mamá que en
paz descanse, que no se la escapaba una, solía decir,
"recogemos lo que sembramos", ¿qué te parece?, que
así, a primera vista, parecerá una bobada, pero el
dicho tiene mucha miga, Mario, vaya si la tiene. Y no
es que mamá hablara por hablar, que a sacrificada
pocos la ganarían, ya ves, que con lo de Julia ofreció no
probar los dulces, que la pirraban, si no venían mellizos, que tú dirás, otra tontuna, pero no es ninguna
tontuna, Mario, que tiene su fundamento, que mamá,
que en paz descanse, sabía dónde la apretaba el zapato,
y a papá se lo dijo, que luego me enteré, y si viene
uno solo, cabe el desliz, pero si vienen dos, eso demuestra que se hizo con ansia, date cuenta, que en las
circunstancias de Julia hubiera sido imperdonable.
Aunque, bien pensado, mi hermana en el pecado ha
llevado la penitencia, que el pobre Constantino será
todo lo infeliz que quieras, pero es un chico bien raro,
que creo que hace yoga o eso y duerme con la cabeza
en el suelo y, por las noches, pasea por toda la casa,
que es noctámbulo o sonámbulo, o como se diga, imagínate qué espanto. Todo por un momento de placer,
Mario, ni eso, que es nada, que yo, las más de las
veces, ni me entero, te digo mi verdad. Es muy raro
ese chico, Mario, que Julia quería encasquetármelo
con Mario los veranos, que ni te lo dije, pero yo ni
hablar, no estaba por la labor, que se las arregle ella,

ella hizo el mal pues que busque el remedio. En general esos hijos de extranjeros suelen dar malos resultados, que Armando dice que son una incógnita y yo le
doy la razón no sé si por la mezcla de sangre o qué,
pero todos tiran un poquito al monte.

XX

Cuanto a la fornicación y a cualquier género de impureza o avaricia, que ni siquiera pueda *decirse que lo hay entre nosotros, como conviene a santos; ni palabras torpes, ni groserías, ni truhanerías,* en cambio él, a la chita callando era tremendo, Mario, ¿querrás creer que una tarde que estábamos solos en casa, abrió "Il Mondo" por un anuncio de sujetadores y me dijo, con una sonrisita muy suya, apuntando, "seno, ¿eh, bambina?" ¡Figúrate qué caso! Con Galli, te digo mi verdad, fácil, lo que hubiera querido, que yo no sé qué tendrán mis pechos, la verdad, pero Eliseo San Juan, cada vez que me echa la vista encima, se pone como loco, sobre todo si voy con el suéter azul, "qué buena estás, qué buena estás, cada día estás más buena", que me aburre, palabra, porque si yo le diera pie, vaya, pero como quien oye llover, ni caso, yo a lo mío, ¡madre, qué hombre! Y de chica, para qué te voy a contar, que aunque me esté mal el decirlo, hacía furor, que un buen día subí con Transi al estudio de los viejos, bueno, al estudio, una buhardilla cochambrosa, y los muy sinvergüenzas nos querían pintar desnudas, y Evaristo decía, "a ti, nena, un retrato de busto es lo que te va", que yo estaba muerta de azaro, Mario, te lo juro, qué sofocón, todos los retratos de mujeres desnudas por las paredes, pero Transi tan terne, no te creas, "éste es una maravilla de luz", "la calidad de carne está aquí muy conseguida", que a saber de dónde sacó ella esas cosas tan técnicas, que nunca me lo dijo, no se decidió, fíjate, con la confianza que teníamos. Y luego, Evaristo, el muy frescales, me planta una manaza toda peluda en la pierna y venga de decir, "¿y tú que dices, nena?", que me dejó sin respiración, Mario, como lo oyes, aunque no dije ni pío, ni mover un dedo, cualquiera. A Evaristo le gustaba yo por vivir, que si se casó con Transi, ya entradita, y él, no digamos, más viejo que viejo, fue por recurso y nada más que por recurso, que una mujer nota a la legua cuándo le hace tilín a un hombre, no me preguntes en qué, qué sé yo, intuición, es como una corazonada. Había que verle a Evaristo cada vez que nos paraba, "ahora, ahora sois los verdaderos guayabitos; el verano pasado erais unas crías", y no me quitaba el ojo de la poitrine, el muy descarado, que yo no sé qué tendrá mi pecho, Mario, pero a este paso hasta los sesenta, qué asco de hombres, todos iguales, como cortados por el mismo patrón. Y Galli Constantino señalaba la puntita, no te vayas a creer, que esos italianos son el mismísimo demonio, aunque conmigo tropezó en hueso, que puestos en este plan, lo que hubiera querido, siempre lo dije, que a Galli le gustaba yo cien mil veces más que Julia, pero a los hombres nunca os falta un remiendo

para un descosido y, como diría la pobre mamá, a falta
de pan, buenas son tortas, y si mi hermana le dio pie,
tonto sería, que para un desahogo, cualquiera, que eso
es lo que más rabia me da, una humillación así, que
después, a saber, no pondría yo una mano en el fuego,
imagínate Julia, siete años sola en Madrid, y con un
niño tan chico, la libertad que eso supone. Pero mira,
Mario, a mí plim, papá y mamá no la hablaban y yo
no iba a ser menos, "sí", "no", "bien", "mal", de ahí no
pasaba, que tampoco era cosa de hacer la vista gorda.
¡Pobre mamá, el calvario que pasó! ¿Sabes que hasta
quiso deshacer el primer matrimonio de Galli? Revol-
vió Roma con Santiago, buena era, pero, por lo visto,
habiendo hijos de por medio, es fatal, dificilísimo.
Y, de repente, ¡pum!, se lo tragó la tierra, nadie daba
razón de Galli y ésta es la hora en que no se sabe si
lo mataron aquí, o cuando la guerra mundial, o si
sigue vivo y coleando haciendo de las suyas por su
tierra, que los hombres sois insaciables, Valen dice que
ni la vejez, ya ves tú. Y otra cosa no, pero desde luego
Galli Constantino era un tipazo, no veas, nos traía
locas a todas, que cuando nos llevaba a Julia y a mí
en el Fiat descapotable, todo el mundo era a mirarnos.
¡Qué tiempos! Yo lo pasé bien bien en la guerra,
digáis lo que digáis, si era como una fiesta, hijo, yo
me acuerdo en el refugio, menuda juerga, con la Espe,
una rojaza de espanto, no quieras saber, y papá, con
esa sorna que se gasta, que ya le conoces, que canta
las verdades al lucero del alba, "son los saludos de sus
amigos, Espe, no se asuste", figúrate, por las bombas

y ella, la pobrecilla, "¡ay, calle usted, don Ramón, es una cosa horrible esta guerra!" Yo lo pasé de fábula, Mario, para qué te voy a contar, toda la ciudad llena de gente, menudo barullo, que todavía no sé, te lo digo sinceramente, cómo no te planté entonces, recién novios, que cada vez venías del frente, con lo de tus hermanos y eso, en plan de revientafiestas, como pensativo, o amargado, ¡qué sé yo! Pero un buen día, sin venir a cuento, ¡pum!, al bueno de Galli se lo tragó la tierra, claro que eso era muy frecuente, ya ves Nacho Cuevas, el hermano de Transi, la misma historia, le movilizaron a la mitad de la guerra y como era algo retrasado mental, o meningítico o eso, le pusieron en servicios auxiliares, y un buen día, yo no sé si necesitaron gente o qué, pero los padres de Transi se encontraron un billetito por debajo de la puerta, todo lleno de faltas de ortografía, que decía: "Me yeban, date cuenta, con y griega, a la gerra, sin u; tengo muchísimo miedo. A Dios, separado, Juanito". Bueno, pues ésta es la hora, y mira que han revuelto cielo y tierra, con lo que son los Cuevas, pues nada. Desde luego, conforme estaba ese chico es preferible que Dios se lo llevase, que era una carga, no te puedes imaginar, incapacitado, y ¡qué porvenir!, tú dirás, que eso era lo peor, de peón de albañil o cosa parecida. "Mejor muerto", como yo le dije a Transi, pero a ella, hijo, la dio sentimental, y como si hubiera dicho algo malo, "¡Ay, Menchu, no, guapina, un hermano es un hermano". Transi, a su manera es cariñosona, toda corazón, que había que ver los besos que me daba, raros para una chica, desde luego, pero sin malicia, que mira luego con quién fue a dar, el viejo de Evaristo, que estaba más visto que el TBO, un hombre que la llevaba quince años, sin oficio ni beneficio, y un sinvergüenza redomado, además, que si yo fui a la ceremonia fue por Transi, como te lo digo, por no hacerla un feo, y ya él con unas guasas y unas cosas que me dieron muy mala espina, recordarás. Pues ella empeñada en que tenía talento, ya ves tú, talento para agarrarse un avión y marcharse a América, a Guinea o qué sé yo, y dejarla plantada con tres criaturas, que ni sé cómo se las puede arreglar, fíjate, que los Cuevas una familia estupenda de toda la vida pero muy venida a menos, que de dinero, ni pum. Para eso sí tenía talento Evaristo, no lo dudo, para eso y para poner las manazas donde no debía, que me dejó helada, "¿y tú qué dices, nena?", que si yo esa tarde le doy carrete y le llevo un poco la corriente, Transi ya se puede despedir, que no es hablar a lo tonto. ¡Si se le salían los ojos de las órbitas cada vez que nos decía "ahora, ahora sois los verdaderos guayabitos; el año pasado érais unas crías", pero lo que él miraba era mi poitrine, que no le quitaba ojo, que aquí, para inter nos, Mario, yo no sé qué tendrán mis pechos pero no hay hombre que se resista, mira el otro día, sin ir más lejos, un patán que estaba abriendo una zanja en la calle la Victoria, pero a voces, "¡guapa, con esa delantera, ni Ricardo Zamora!" Sí, ya lo sé, una grosería, desde luego, pero qué le vas a pedir a esa gente y, francamente, por eso me duele más lo tuyo, fíjate, que si los demás no repararan, vaya, pero gustando como gusto, me sabe mal tu indiferencia, para que te enteres. Y todavía ahora, pase, pero ¡mira que de novios!, la manita y ya era mucho, claro que no te digo besarme, que eso ni por ti ni por nadie, pero un poquito más de ardor, calamidad, aunque te contuvieras, que sólo faltaría, pero a las chicas, por si lo quieres saber, nos gusta sentiros impacientes cuando estáis con nosotras, no lo mismo que si estuvierais al lado de un bombero. Pero tú, ya, ya, mucho "mi vida", mucho "cariño", pero tan terne, como si nada, como un avefría, que acaba una por no saber lo que es control y lo que es indiferencia, porque no me digas, hijo, que a un hombre a quien le cuentas lo de Evaristo, con su manaza toda peluda, y no reacciona es que es de cartón-piedra, vamos, me parece a mí. Y no es que yo pida imposibles, entiéndeme, que a veces pienso si en este aspecto seré una ansiosa pero procuro ser objetiva, y ahí tienes a Valen, y Vicente es el equilibrio en persona, no me digas, bueno pues Valen está harta de decirme que los últimos meses, sobre todo después de la pedida, son de abrigo, que yo la doy la razón, a ver, no es cosa de decirla que tú ni caso, menudo bochorno. Te doy mi palabra, Mario, pero cada vez que te veía al solazo en el banco de enfrente de casa, con un periódico, que entonces me empezaste a gustar, ya ves, yo creo que por eso, pensaba, "ese chico me necesita y debe ser muy apasionado", que me hacía ilusiones, fíjate, sin fundamento, de acuerdo, pero a mí, y te hablo con el corazón en la mano, me hubiera gustado tener que pararte alguna vez los pies, no te digo como a Evaristo o a Galli, que entonces ni me hubiera casado, seguro, pero sí un poquito de pasión, ya ves Maximino Conde con la hijastra, y a su edad, completamente trastornado, hasta el punto de que ella, Gertrudis, se tuvo que largar al extranjero sin hacer ni el equipaje, que a saber allí, porque después de todo Maximino era su padrastro y alguna delicadeza hubiera tenido y, entiéndeme, no es que le disculpe ni muchísimo menos. Lo que quiero hacerte ver, Mario, es que entre hombre y mujer hay un instinto, y las chicas con principios, las honradas, las que somos como se debe de ser, gozamos excitándole en los hombres pero sin llegar a mayores, mientras que las fulanas se van a la cama con el primero que pillan. Esa es la diferencia, botarate, pero si vemos que vosotros no reaccionáis, pues a ver, acomplejaditas, que pensamos tonterías, inclusive, que no servimos, porque aunque vosotros no lo creáis, las mujeres somos muy complicadas. Y luego, al cabo de veinte años, de repente, ¡hala!, el capricho, desnúdate, ya ves tú qué ocurrencia, a la vejez viruelas, pues no me da la realísima gana, para que lo sepas, ya ves tú, ahora con el vientre remendado y la espalda llena de mollas, pues, no señor, haberlo pedido a su tiempo. Y todavía el P. Fando con tonterías, que delicadezas, me río yo, que no sé cómo te las arreglas pero, hagas lo que hagas, encubridores no te faltan, madre, qué piña. Siempre fuiste un poco maniático, querido, reconoce las cosas, por más que diga Esther que para un intelectual, la carne, un apetito como otro cualquiera, lo satisface y sanseacabó, no le desazona, que me hace gracia, que el año que fuimos a la playa bien se te iban las vistillas, hijo, que me diste el verano, fíjate, de no volver, que ni amarrada vuelvo yo a la playa contigo con la desvergüenza que hay hoy en todo. Tanto si te duele como si no, te diré que tú tienes el don de la inoportunidad, Mario, porque no me vengas ahora, que los días buenos ni mirarme a la cara, y los malos, ya se sabe, el asedio, "no seamos mezquinos con Dios", "no mezclemos las matemáticas en esto", qué fácil se dice, y que si dejábamos un hijo por nacer, ¡valiente novedad!, figúrate, si cada hombre con cada mujer y en cada momento tiene hijos distintos, date cuenta la de niños que quedan por nacer a cada minuto en el mundo, ¡millones de millones!, una barbaridad, como para perder la cabeza por una cosa así, tonterías. El espíritu de la contradicción, eso es lo que tú eres, que desde que te conozco no has hecho más que aguardar a que yo diga blanco para tú decir negro, que parece como que con eso ya te quedabas tan a gusto, a ver si no.

XXI

*Comiendo lo ganado con el trabajo de tus manos,
serás feliz y bienaventurado. Tu mujer será como
fructífera parra en el interior de tu casa. Tus hijos
como renuevos de olivo en derredor de tu mesa.* Eso
no impide que, de repente, se me ocurran disparates,
Mario, cosas tan horribles que a media tarde, me cojo
el portante y me marcho a confesar, que se me ocurre,
por ejemplo, que si mamá me viese todo el día de
Dios lavando bragas, sólo con una criada para cinco
criaturas, se llevaría un berrinche tal que llego a prefe-
rir que se haya muerto, fíjate, que mamá, que en paz
descanse, que a ti no te debe pillar de nuevas, era
para mí mucho más que una madre, ya lo sabes, que
era mi consejera, mi confidente, mi amiga y todo lo
que se pueda ser. Y es que esto del servicio, Mario, se
ha puesto imposible aunque los hombres, por la cuenta que os tiene, cerréis los ojos y encima venga de dar
alas a los pobres, como si la cosa no fuese con vosotros,
tontos, más que tontos, que sois tontos de capirote,
que si los salarios, que si Alemania, venga, que a este
paso me parece a mí vamos a acabar como el rosario

de la aurora, porque no es decir que hoy una criada valga más de mil pesetas, que eso es lo de menos, que luego está lo que te come, pero con eso y con todo, lo peor es que no las hay, que no se pueden pintar, Mario, métetelo en la cabeza, que me haces gracia, un día te da la ventolera y "vamos a arrimar todos el hombro", que no se trata de eso, que una casa es muy entretenida, que no es cosa de juego, cariño, que te pones a ver y es el no parar, porque ¿quieres decirme qué adelanto yo con que durante las vacaciones los niños se hagan sus camas y tú te agarres la escoba y barras una habitación? ¿Qué me resuelve eso a mí, di? ¿Es que es, acaso, misión de un hombre? Una casa es una casa, Mario, y detrás he de ir yo estirando colchas y quitándote los rincones, que me dobláis la tarea, fíjate, en lugar de aliviarme. Y todavía tú que ninguna satisfacción mayor que valerse uno por sí mismo, que me río yo de vuestras ayudas y de vuestras satisfacciones, que vivís en la higuera. Como eso de poner a Menchu a fregar los cacharros, ¿de cuándo acá una chica bien ha de hacer de fregona, dime? Mal está que lo haga yo, pero al fin y al cabo, soy su madre, y si no supe elegir mejor, justo es que en el pecado lleve la penitencia, Pero ¿puedes decirme qué culpa tiene la niña? No, Mario, no, desengáñate, hay que aguantar lo que se pueda y en último extremo, acuérdate de mamá, si hemos de morir, hacerlo con dignidad, que hay que ver el bochorno que pasé el día que Valen te pilló con la malla haciendo la compra, de desear que me tragase la tierra, fíjate. Menos mal que nada de lo que tú hagas sorprende ya a mis amigas, pero ten por seguro que a Vicente, que es un hombre como se debe ser, no se le ocurren esas payasadas, ni se le pasa por la imaginación, vamos, me apuesto lo que quieras. Lo que te sucede a ti, Mario, que a mí no me la das, es que en el fondo, fondo, sientes remordimientos, que el caso es hacer lo que sea menos ganar dinero que es tu obligación. No es de hoy, cariño, que siempre fuiste un culillo de mal asiento, ya lo dice la Doro, que no sabes parar quieto, yo recuerdo en la playa, venga de tomar notas y mirar papeles debajo del toldo, o, si no, hacerles una barca a los niños, cualquier cosa menos tumbarte al sol y broncearte, Mario, que estabas tan blanquito y luego con el meyba hasta las rodillas y las gafas, daba grima verte, la verdad, que yo, algunas veces, como si no fueras conmigo, como si no te conociera, que no debería decírtelo pero hasta vergüenza me daba. Después de todo, razón le sobra a Valen, que a los intelectuales deberían prohibirles ir a la playa, que así, tan flacos y tan cruditos, resultan antiestéticos, más inmorales que los mismos bikinis. Pero lo que más me encrespa, te lo confieso, es que en la playa, si no mirabas a las niñas, por supuesto, fueras tan intelectual y, luego, en casa, agarraras el escobón y te pusieras a barrer, porque una de dos, lo eres o no lo eres, pero si lo eres, con todas las consecuencias, hijo, que a mí las medias tintas me horrorizan. Sí, ya lo sé, que tú no eres un intelectual, me lo sé de requetesobra, de carrerilla, fíjate, que los intelectuales piensan y ayudan a pensar, pero si tú no puedes pensar porque tu cabeza es un caos, mal puedes hacer pensar a los demás. Excusas, frases como yo digo, porque si no lo eres, ¿por qué andas entre libros y papeles todo el día de Dios? ¿Por qué regla de tres estabas tan blanco en la playa, di, que no te agarraba el sol ni por cuanto hay? Y luego, para mayor inri, haciéndote el deportista, que también es humor, que no puedes con los zapatos y corriendo cincuenta kilómetros en bicicleta cada domingo, no me digas, todo para aparentar más joven, que no sé a santo de qué, que todavía en una mujer... Tú desconciertas a cualquiera, Mario, convéncete, que muchísimas veces pienso que tus gustos proletarios vienen de la estrechez en que te criaste, que a mí, ya ves tú, a poco de hacernos novios, cuando me dijiste que con un duro a la semana tendríamos que arreglarnos, me dejaste fría, palabra. Porque, ¿me puedes decir qué hacíamos dos personas con un duro por mucho que haya subido la vida, que yo misma lo reconozco, que está veinte veces? Si te digo que todavía me duelen las plantas de los pies de patear calles no te exagero, y ¡qué frío, santo Dios!, que volvía a casa ateridita, que tenía que taparme con la falda de la camilla cabeza y todo para reaccionar, que mamá, "¿puede saberse dónde has andado?", que a ella se lo iba yo a decir, pobrecilla, bastante tenía encima. Y un buen día te daba rumbosa y al café, hale, como los paletos, que el camarero aquel del pelo blanco, no me digas, cada vez que le pedías una caña, con una sorna, "¿una caña para los dos?", que era absurdo, a ver, que me hacías pasar las penas del purgatorio. ¡Qué horror, cariño! No quiero ni pensarlo porque me sublevo, no lo puedo remediar, es superior a mis fuerzas, que me doy cuenta de lo poco que siempre he significado para ti, porque si sólo disponías de un duro, ¿a qué comprometerte con una chica? ¿Es que hay derecho a eso? Un hombre enamorado, en esa circunstancia, roba, mata o hace algo, Mario, todo menos tener a una chica bien en ese plan, que me da coraje, fíjate, inclusive a estas alturas, haber sido tan sandia, que hasta se me saltan las lágrimas de pensar en el desprecio, que tiempo tuve para ver de qué pie cojeabas, y ni por ésas. ¿Qué te parece? "¿Una caña para los dos?" Porque lo decía con retintín el tipo aquel del pelo blanco, Mario, no digas que no, burlándose de mí, tan recompuesta, con mi sombrerito inclusive, una cursi, un quiero y no puedo, a ver, que es lo que me saca de quicio, que a saber qué me darías para no mandarte a paseo. Un hombre como debe ser, roba o mata antes que tener tres años a una mujer en este plan, y tú, todavía, con contemplaciones, "para la señorita, yo no quiero nada", no vas a querer, ¡deseando!, como que te crees que él no lo notaba, ni que fuera tonto, y sobre todo no sé a santo de qué darle tantas explicaciones a un camarero, ya ves tú, un don nadie, que eso es lo que más asco me da de ti, que con la gente baja te achicaras con lo sencillo que es darles cuatro voces y, en cambio, con la gente bien, inclusive con las autoridades, se te soltase la lengua y a desbarrar. ¿Qué se puede esperar de un hombre así, puedes decírmelo? Y no acababa ahí la cosa, sin una peseta, y todavía que eras un privilegiado, que tenías pan y calor, ¡qué cosas hay que oir!, un hombre que no tiene donde caerse muerto, que ésa es otra, que tú dirás ahora si no fuera por papá, Mario, que sólo Dios sabe lo que a mí me ha costado aparentar, que vosotros, mucho presumir de estar de vuelta, y enseguida os tragáis esas historias de que más de media humanidad pasa hambre, imagínate, que el que pase hambre hoy es porque le da la real gana, Mario, como lo oyes, porque, lo que yo digo, si tienen hambre, ¿por qué no trabajan? ¿Por qué las chicas no se ponen a servir como Dios manda, di?, ¿por qué?, lo que pasa es que hay mucho vicio, Mario, que hoy todas quieren ser señoritas, y la que no fuma, se pinta las uñas o se pone pantalones, y eso no puede ser, que estas mujeronas están destrozando la vida de familia, así como suena, que yo recuerdo en casa, dos criadas y la señorita para cuatro gatos, y cobrarían dos reales, que no lo discuto, pero ¿para qué necesitaban más? Las criadas entonces eran como de la familia, bueno era papá para eso: "Julia, modérate; deja un poco para que lo prueben también en la cocina". Entonces había solidaridad, daba tiempo para todo y, cada uno en su clase, todos contentos, que no era como ahora que todo el mundo quiere empezar de Capitán General, que en la vida he visto, hijo, más ambición ni más prisas. Pero no, todavía teníais que venir vosotros a enmendar la plana, una plaga, Mario, como la langosta, venga, hay que tirarlo todo, esto es injusto, hay que cortar de arriba y añadir de abajo, que ya se sabe, vosotros con tal de hacer una frase sois capaces de vender a vuestra madre, dichoso don Nicolás, que este hombre me va a hacer a mí ganar el cielo, date cuenta, que antes "El Correo", yo me acuerdo, daba gusto, con aquel director que nombraron de Madrid, tan leal, y no es porque yo lo diga, que todo el mundo está de acuerdo, que desde que se marchó empezaron los disgustos. Porque lo que yo digo, Mario, si a costa de tantas peplas sacaras algo en limpio, lo comprendo, pero lo cierto es que vienen a palo seco, que no me explico para qué trabajas tanto, porque no me digas que veinte duros al precio que están las cosas son hoy dinero, una irrisión, Mario, un escarnio, eso es lo que es, que para tanto como eso mejor de balde. En cambio, la colaboración de Madrid, hala, a la calle, por una cabezonada, que si te pusieron Cruzada en vez de guerra civil, o una pamplina de ésas, que hay que ver las voces por teléfono, que a saber qué pensaría el pobre José Mari Recondo, que ése era el pago, total por una palabra, que hay que ver los quebraderos de cabeza que os dan a vosotros las palabras, cielo santo, que qué lo mismo dará una cosa que otra, mira tú, Cruzada o guerra civil, que no lo entiendo, palabra, no es que me haga la tonta, te lo juro, que si tú dices Cruzada, todos sabemos que te refieres a la guerra civil y si dices guerra civil todos estamos al cabo de la calle de que quieres decir Cruzada, ¿no es eso?, porque ni siquiera el sentido. Pues, entonces, alcornoque, que das más guerra que un hijo tonto, ¿a qué viene ese trepe y tirar por la borda seiscientas pesetas, que dos al mes, eran mil doscientas, y te pones a ver y mil

doscientas pesetas pueden ser el arreglo de una casa?
Pues no, señor, fuera, a mí que me registren, que lo
que Valen dice y ella se ríe, que a mí, te lo prometo,
maldita la gracia que me hace, que tú prefieres que te
quiten la cartera antes de que quiten una palabra, que
es cierto, Mario, dichosas palabras. ¿Y sabes lo que es
eso? ¡Complejos!, para que te enteres, que estáis todos
llenos de complejos, cariño, con lo que a mí me gusta
la gente corriente y moliente, normal, no sé cómo
decirte, que no dé tanta importancia a las bobadas, ya
ves Paco, de chico le traían sin cuidado las palabras,
lo mismo le daba una que otra, que confundía "perspectiva" con "preceptiva", todo lo trabucaba, que era
una juerga, pues mírale ahora, se ríe del mundo, con
un Tiburón de aquí hasta allá y apaleando millones.
Y para eso no se necesita una carrera, ni muchísimo
menos, que ése fue mi error, bastan unas relaciones y
un poquito de mano izquierda. Ya la oyes a Menchu,
"nosotras, chicos con carrera, ni hablar; son unos rollos", que las nuevas generaciones van despabilando,
Mario, convéncete, no son tan pavas como nosotras,
ellas van derechas a lo práctico y saben que junto a un
licenciado, a más de pasar hambre, van a aburrirse
como unos hongos. ¡Figúrate yo ahora con Paquito sin
ir más lejos! Una vida de cine, vamos, viajes a Madrid,
al extranjero, y a los mejores hoteles, por supuesto,
que él me lo decía el otro día, que por bien que
marche el Tiburón, hay veces que no basta, y a cada
dos por tres, el avión, a París, Londres o Barcelona, ya
se sabe, lo que son los negocios, donde sea. Después,

en el Pinar, cuando se paró, me puso el brazo por detrás, en buen plan, desde luego, que ni él se lo pensaba, me dejaría cortar la cabeza, y me miraba todo el tiempo, "estás igual", dijo, y yo, "¡qué bobada, fíjate los años que hace!", y él "el tiempo no pasa igual para todos, pequeña", una galantería, tú dirás, pero que se agradece, que yo estaba ya un poco atontolinada, te lo juro, y cuando me sujetó por los hombros, el corazón como loco, paf, paf, que yo creo firmemente que me hipnotizó, Mario, te doy mi palabra, que ni podía moverme ni nada, sólo el runrún de sus palabras cada vez más cerca, que ni los pinos, date cuenta, con los que había, y cuando me besó, ni eso, todo se me borró, como sin conocimiento, te lo juro, que sólo podía oler, que olía a esa mezcla tan varonil de tabaco rubio y colonia de fricción que es un olor, Valen te lo puede decir, que trastorna, que no es invención mía, te lo podría jurar, que no tuve arte ni parte, que estaba medio hipnotizada, palabra.

XXII

*Di a la sabiduría: "Tú eres mi hermana" y llama
a la inteligencia tu pariente. Para que te preserven de
la mujer ajena, de la extraña de lúbricas palabras... No
dejes ir tu corazón por sus caminos, no yerres por sus
sendas,* por más que, conociendo como conozco a los
hombres, Mario, estoy segurísima de que me la has
pegado más de una vez y de dos, me juego la cabeza.
No hay más que ver cómo se presentó Encarna ayer,
menuda escenita, yo no sabía ni dónde meterme, que
Valen decía, "si parece ella la viuda, mujer", y es
cierto, chico, que me puso en ridículo, ¡qué alaridos!
Es como lo de Madrid, que el caso es meterse donde
nadie la llama, como yo digo, porque ¿puedes decirme
qué tecla tocaba ella en la votación? Y, luego, a celebrarlo, hala, jarana, y tú que una cerveza y unas gambas en el Fuima, y que nada más, ya, ni que una se
chupase el dedo. A medida que pasan los años, Mario,
fíjate, más me convenzo, de que el hombre no es un
animal monógamo, de que la monogamia para vosotros una antigualla. Nos veis tan pánfilas que abusáis
de nuestra sumisión, os echan las bendiciones y a des-

cansar, un seguro de fidelidad, claro que eso para vosotros no rige, la ley del embudo, os largáis de parranda cuando os apetece y aquí paz y después, gloria. Y no es que yo vaya a decir que tú hayas sido un don Juan, cariño, ni muchísimo menos, pero tampoco pondría una mano en el fuego, la verdad, que por mucho que digas que fuiste al matrimonio tan virgen como yo, ésa no me la trago, fíjate, que boba sería y una tiene ya muchas conchas, a ver, por fuerza. "No me lo agradezcas, fue ante todo por timidez", me río yo, ¡qué timidez ni qué ocho cuartos!, pues buenos sois los hombres, en la primera ocasión, zas si te he visto, no me acuerdo, la mujer y los hijos, un cero a la izquierda. Eso si no sois vosotros los que buscáis la ocasión, que bueno está Madrid, hijo, una vergüenza, que a partir de las ocho hay más fulanas por las calles que personas decentes, que ha sido un error, ya ves tú, cerrar las casas, que yo, todo lo contrario, las hubiera pintado de colores bien chillones para que nadie se llamase a engaño, y a las pelanduscas las hubiese encerrado allí, pero a cal y canto, ¿eh?, que no pudieran ver ni la luz del sol, que no merecen otra cosa, por mucho que tú vengas con que nadie lo es por gusto, que los hombres puestos a disculpar resultáis imposibles. Ya ves tu caso, y en mejor plan no me pude poner, "cuéntame tus aventurillas de soltero; te perdono de antemano", pero ya, ya, y te doy mi palabra, Mario, de que yo estaba dispuesta a tragarme el cáliz hasta las heces, te lo juro, y una vez que acabaras, darte un beso, como una absolución, ¿com-

prendes?, y decirte, "lo pasado, pasado". Pero tú erre
que erre, con la de siempre, que eres más terco que
una mula manchega, hijo, y con mayúscula, por si
acaso, como en tus libros, que no viene a cuento poner
mayúsculas, vosotros que presumís de saber, cuando
no son nombres propios ni hay punto ni nada, que eso
lo sabe un tonto. *"ERA TAN VIRGEN COMO TÚ; PE-
RO NO ME LO AGRADEZCAS, FUE ANTE TODO
POR TIMIDEZ"*. ¿Qué te parece? Me da rabia, Mario,
pero una rabia espantosa, que seas tan desconfiado, porque si me dices tu verdad, te hubiese perdonado igual,
te lo juro, como me llamo Carmen, aunque me costase
un calvario, fíjate. Y no quieras saber de casado, tus in-
fidelidades de pensamiento, que es adulterio, lo mismo,
a ver, acuérdate del veranito de la playa, que hay que
ver lo que pasé, que ni amarrada me vuelves a llevar
allí. Y si me da rabia no te pienses que es por mí, adoquín, que ya me conoces, y otros defectos tendré, pero
celosa no soy, pero los niños, date cuenta los niños,
qué baldón, que Mario y la misma Menchu ya entienden el beso, querido, que el tiempo pasa, que son dos
personas mayores, Mario, aunque tú con tu bicicleta
y tus tonterías, quieras agarrarte a la juventud como
un desesperado. Es ley de vida, cariño, y contra eso
no hay quien luche, que la pobre mamá, que en paz
descanse, ya lo decía: "Todo tiene remedio menos la
muerte", date cuenta, que parecerá una vulgaridad,
pero anda que no tiene miga ni nada la frasecita esa.
Muchas veces pienso, un poco a lo tonto, Mario, que
si tú en lugar de ser hijo de tu madre, tan pagada de

sus cosas, hubieras sido hijo de la mía, serías otra persona. Todo hubiera ido entonces mucho mejor, estoy segura, y no es que me queje, entiéndeme, que ya sé que es una tontería pensar estas cosas, porque si tú hubieras sido hijo de mamá, por lo menos seríamos medio hermanos, a ver, y no hubiéramos podido casarnos, que todo eso de las sangres iguales y el factor R-H me aterra, fíjate, de siempre, no es que lo diga ahora, que con Álvaro no quieras saber lo que pasé, que ahora te lo puedo decir, pero con eso de que sangré antes, me imaginé que pudiera ser algo raro, que las sangres no congeniaran o así, y casi me vuelvo histérica, que ofrecí no tomar helados en un mes, hazte cuenta, con lo que a mí me pirran los helados. Claro que tú ni enterarte y, luego, de cualquier nadería, un mundo, ya ves, con el mismo Alvarito, que si era muy raro que quisiera irse solo al campo a hacer una hoguera, o que llamase sotas a los soldados, y que si al médico, y que si patatín y que si patatán, ¡cosas de chicos, Mario!, que a Álvaro lo que le ocurre es que tiene vocación de boyescut, o como se diga eso, que te pones a ver, y malo, lo que se dice malo, no ha estado en su vida, el sarampión y para de contar, y para eso bien benigno, que acuérdate que dudábamos. Más me preocupan a mí otras cosas, Mario, problemas de fondo y no esas pamplinas, mira Borja, ayer, que no es que lo dijera por decir, que le salió del alma, "yo quiero que se muera papá todos los días para no ir al Colegio", ¿qué te parece? Le di una zurra de muerte, bueno, tú lo viste, y son seis añitos, ya lo sé, pero yo a los seis años, me acuerdo como si fuera hoy, sentía veneración por papá, auténtica veneración, que me dicen que le ha pasado algo y me muero, fíjate. Es como el luto del otro zángano, que no, que eso son convencionalismos estúpidos, ya ves tú, "convencionalismos", no podía buscar otra palabra más enrevesada, que ese chico va a ser como tú, Mario, de enredador, tu vivo retrato, que me preocupa seriamente, ya ves el domingo, ni pedirme la propina, que a su edad no se lo consiento, que, le guste o no le guste, debe empezar a alternar y dejar un poco los libros que se le van a volver los sesos agua, que yo no sé para qué necesitáis tanto librote si no son más que almacenes de polvo como yo digo. Eso sí, para libros siempre había dinero, en cambio un Seiscientos, ya ves que cosa más tonta, un lujo; tú con tu cátedra, tus papeles y tus amigotes tenías bastante, y los demás que se las apañen. Ya ves lo de Aran, y mira que llevo tiempo detrás de ti, hijo, una vida, bueno, pues ya crecerá, que son tres años, pues claro que son tres años, borrico, pero a los tres años hay niñas altas y niñas bajas, y Aran es una niña bajita, y si no hubiera precedentes, vaya, pero mira tu hermana, Mario, que dejando aparte lo insustancial, Charo, físicamente no vale un perro chico, es como un botijito, no me digas, que ni sabe por dónde la da el aire, ya lo estás viendo, primero que Esclava, ocho meses y fuera, y la ves ahora y a disgusto en todas partes, que no en balde sois hermanos, cariño, dos culillos de mal asiento, inadaptados o eso, que para algo están ahora tan de moda. Pero ya te anticipo que

yo no quiero que mi hija sea así y, llores o rías, pienso
llevarla a Luis, que la mire a fondo y la recete unos
choques de vitaminas, que la hagan crecer y espabilar.
En lo que esté en mi mano, no me pienso dormir,
cariño, déjate de que estrangulo su personalidad, ahí
tienes el otro, charlando con el portero a todas horas,
ya ves qué personalidad, que si la personalidad consiste en negarse a llevar luto por un padre, mejor que
no la tengan. Después de todo, mis ideas no son tan
malas y o poco valgo o mis ideas han de ser las de mis
hijos, querido, y si Mario quiere pensar por su cuenta
y razón, que lo gane y se vaya a pensar donde una
patrona, que mientras viva bajo mi techo, los que de
mí dependan han de pensar como yo mande. Bueno
está lo bueno, o se es o no se es, que diría la pobre
mamá, porque tú me dirás qué provecho puede sacar
mi hijo de dar palique al señor Abundio, en la garita
además, para mayor inri, que es verte a ti, Mario, que
es tu vivo retrato, hijo, acuérdate del viejo chocho de
Bertrán, cada vez que venía con la paga, tú venga
de darle carrete, que si ganaba mucho o ganaba poco,
tú dirás, con un bedel, que de unas cosas pasabais a
otras, que se lo oí, no te creas que no, bien claro lo
dijo, que si todavía estaba útil, sobre todo cambiando
de jaca, imagínate esa momia, sordo además, que vosotros por presumir de hombres cualquier cosa. Estoy
cansada de decírtelo, Mario, que a esta gente le das
confianzas y no sabe hasta dónde puede llegar, que
les das la mano y se toman el pie, que te estuvo bien
empleado, aunque te fastidiara, porque si te sonaste

mal y tú le tratas de igual a igual, está en su perfec-
tísimo derecho de decirte, "que se ha dejado un forra-
je", lógico, que yo me reía para mis adentros, pero
pensaba: "le está bien empleado por tonto, le está bien
empleado. A ver si así escarmienta", y tú ni sabías
dónde limpiarte y él, "más arriba, más abajo, ahí", y
tú "gracias, Bertrán", pero con una cara que bendito
sea Dios. Eso sí, las cosas como son, ayer muy afectado, se presentó de los primeros y derecho al comedor, a ver qué te crees, que le dejé un ratito, pero ya
le dije, "Bertrán, pase a la cocina si no le importa,
aquí no podemos ni rebullirnos", faltaría más, ¿de
cuándo acá va a estar un bedel entre los catedráticos?
Y no te digo al entierro, que eso obligado, pero subir
a la casa no le corresponde, que luego dio la nota con
la sordera, que el pobre Antonio, acabó voceando, y
el otro, "no sé qué dice", un espectáculo, como te lo
digo, y don Nicolás riéndose, ya ves tú, no encontraría
momento más oportuno, que no le eché escaleras abajo
de verdadero milagro, que inteligente será, yo no lo
niego, pero el don de la oportunidad no le tiene,
acuérdate con lo de la condecoración, ya ves qué pito
tocaría él, "no lo haga, conozco a Mario y es capaz de
tirarla al estanque", a él qué le iba ni qué le venía,
que tú para qué querías más, "quieren hacer de mí
una tumba coronada por una Gran Cruz", que ni por
las buenas ni por las malas se puede contigo, hijo, qué
carácter. Y lo cierto es que si no te dicen "basta", a
saber, que estabas ya como un caballo desbocado, qué
articulitos, que a ti se te calienta la boca y ni sabes

ya lo que dices ni adónde vas, como lo de prohibírtelos por teléfono, a ver cómo querías que te lo dijeran, lo más rápido, lógico, y tú "por escrito, por escrito", ¿es que hay que hacer una instancia para dirigirse a ti? Siempre en vilo contigo, querido, como si fueras un niño pequeño, recuerda lo del tren, con el Moyano ese tenía que ser, que lo mejor que podía hacer es afeitarse esas barbas, que qué sé yo lo que parece, y todavía tú que el régimen severo de que hablaba era el de su estómago, ya, ya, a mí me la vais a dar, que os pudisteis buscar un lío de los gordos, que el tipo aquel era de influencia, ya ves, con un historial político que para mí lo quisiera, Mario, que hizo muy requetebién en avisar a la policía, nunca se sabe, todo por iros de la lengua, y yo sin pegar ojo en toda la noche, qué remedio, sobre todo después de oir a Antonio, que yo, imagina, telefonazos a todo el mundo, y él insistía, "no estoy muy seguro, pero creo que veinticuatro horas en la Prevención son ya antecedentes penales", menuda, como para tomarlo a broma, una friolera, ¡pobres hijos míos!, que tú el caso es hablar cuando no debes que luego, en las fiestas, si no te tomas dos copas, un ciprés, ¡madre, qué caras! ¿Por qué te callabas, di? Claro que a la fuerza ahorcan, porque, bien mirado, si no sabes cantar, contar chistes picantes, tocar la guitarra o bailar lo moderno, un estorbo, a ver. Pero no sería porque no te lo advirtiese, Mario, desde que nos casamos, no digas que no, que yo misma reconozco que me puse hasta pesada, "aprende una gracia de salón; sin una gracia de salón eres hombre perdido", pero tú, como de costumbre, como quien oye llover, que no conozco mujer, fíjate, que haya influido menos en su marido que yo, palabra, y eso es falta de cariño, cariño, por muchas vueltas que lo des. Me ponías mala, ¿eh?, en un rincón, aburrido, liando un cigarro de esos que apestan, me consumía, te lo juro, que no sé qué prefiero, porque tú no tienes más que extremos, o como un muerto o a lo loco, mira la otra noche en casa de Valen, y me lo olí, ¿eh?, palabra de honor que me lo olí, en cuanto vi a Solórzano y a Higinio, nada más entrar, y dale con los corchos del champán contra las farolas, que Valen la gozaría y todo lo que quieras porque es una chica muy abierta, que es un encanto, Valen, pero yo, llegó un momento, te lo prometo, que no sabía dónde mirar, que decirte abochornada es poco.

XXIII

Porque escudo es la ciencia y escudo es la riqueza,
pero excede la sabiduría, que da la vida al que la tiene,
aunque reconoce, Mario, que si en vez de emplear
tanto tiempo en esos librotes absurdos, te hubieras
dedicado a algo más provechoso, un Banco por ejemplo, cualquier cosa, otro gallo nos cantara. Porque se
dice pronto, hijo mío, las horas muertas que te has
pasado en este despacho, dale que te pego, es que ni a
hacer pis, y total, ¿para qué? Muy sencillo, para
hacernos ver que los paletos viven sin ascensor, que
hay que hacer a los locos un Manicomio nuevo, que todos los hombres deben partir de cero, que tú sabrás
lo que quieres decir con eso, y que hay que cortar de arriba y añadir de abajo. Bueno, ya está, ¿y para eso tantos
años como yo digo? Se necesita ser tonto de capirote,
hijo mío, no me digas, que una cosa que llevo muy a
mal es que me vieses a mí reventada, todo el día de
coronilla, y tú sentadote en tu despacho, o charlando
y fumando con tus amigos, que hay que ver qué huma-
redas, Santo Dios, que, en cuanto os ibais, dos horas
ventilando. Te digo que cuando caiste malo, los ner-

vios o lo que fuera, descansé, alabado sea Dios, cada
uno a su casa y todos tranquilos, ¡qué a gusto me quedé! Y otro tanto con las comidas, cariño, que ni agradecido ni pagado, porque ¿me puedes decir, zascandil,
de qué me servía contigo pasarme toda la santa mañana en la cocina? Para ti el caso es engullir, como los
pavos, que nunca miraste lo que comías, calamidad,
que no sé si por gula o qué, pero bien poco te lucía,
la verdad, que yo recuerdo en la playa, el espíritu
de la golosina, hijo, y luego tan blanco y con las
gafas, dabas grima, de avergonzar a cualquiera, que
yo, fuera de broma, prohibiría a los intelectuales arri-
marse al mar, ¡qué cosa más antiestética! Porque con
una vez que me hubieras dicho, "qué rico está", bastaba, buena soy yo, con cualquier cosa, a ver, pero no, lo
único si había un pelo o una mosca, ya ves tú qué
barbaridad, la apartas y se terminó, pues, no señor, un
drama, que la boba soy yo en tomarme tantas molestias, que la misma Encarna que es debilidad por ti, ya
la oíste, "a Mario tanto le da un cocido como un pato
a la naranja", que es verdad, que con tu manera de
ser desanimas a cualquiera, qué aburrimiento, hijo.
Dichosos libros, que te tenían sorbido el seso, que no
pensabas en otra cosa, ¡madre, qué obsesión!, que estabas comiendo o en una reunión y con la cabeza en otro
sitio, y en la calle, ni saludar, que hay que ver la fama
de antipático que tienes en todas partes, que nadie te
puede ver ni en pintura, no es que yo lo diga. Y luego
los títulos de los libros, ¡Jesús, María, que desazón!
para después salirte por peteneras, que "El Castillo de

Arena" o una pamplina así, que no sé si será bonito o feo, pero no pega ni con cola, cariño, que te pones a ver y en el libro no hay castillos por ninguna parte, así es muy fácil, el caso es que pegue el título con lo que va dentro, mira tú qué risa, lo otro lo sabe hacer cualquiera. Y vengan mayúsculas: "AUNQUE DIFICIL, AUN ES POSIBLE AMAR EN EL SI-GLO XX", mira quién fue a hablar, consejos vendo, tres años aguardando y, al cabo, "buenas noches, hasta mañana", y todavía el otro que delicadezas, menos guasitas, un desprecio, eso es lo que es, un desprecio como una casa, que una mujer, y sé muy bien lo que me digo, soporta mil veces mejor un atropello que una humillación así, que eso lo último, Mario. Y yo sí que estaba un poco asustada, lo reconozco, por qué voy a decir lo contrario, que sabía que tenía que pasar algo, Transi y todas lo decían, pero cualquier cosa menos eso. ¡Delicadezas!. Me río yo, un egoistón, eso es lo que tú eres, y dale con que los hombres no se aman, que las máquinas les secan el corazón, será la bicicleta, zascandil, ya ves tú los tipos esos, en la isla o donde sea, que una no sabe ni dónde están, que ésa es otra, que parece que no saben hablar de otra cosa, pues sí que se iban a divertir, qué pesados, yo me tronchaba con Valen, "todos, absolutamente todos los personajes de Mario son unos revientafiestas", que Esther para qué te voy a contar, por las nubes, como una furia, "son símbolos", sabrá ella lo que son símbolos, date cuenta, pero con un aplomo, hijo, que no admite vuelta de hoja. Amar en el siglo xx, mira quién fue a hablar, un hombre que la noche de bodas, media vuelta y hasta mañana, que hasta se te debía caer la cara de vergüenza, vamos, un feo así, y luego que te subían las aguas, que todo era frivolidad y violencia, no lo dirás por ti, dichosos nervios, que los hombres con tal de parecer importantes ya no sabéis qué inventar. ¡Anda, pregúntale a Galli Constantino si sabía amar en el siglo xx! Y antes de lo que debiera, que a los hombres no hay quién os entienda, unos por mucho y otros por poco, que a saber Julia en Madrid, sabe Dios, sola, siete años, figúrate, con estudiantes americanos en casa, no iba a vivir del aire, pero que es un peligro, francamente, porque lo que Valen dice, que una vez que se le coge el gustillo, natural, entre hombre y mujer hay un instinto y lo que hay que hacer es evitar la ocasión. Bueno, pues tú, dale, que no se ama, que estamos perdiendo el hábito de amar, que la cogiste modorra como yo digo, y luego, para desengrasar, el articulito aquel de la revista americana, "Ausencia de sentimientos en la literatura moderna", cien dólares, Mario, que se dice pronto, seis mil pesetillas, pero una y no más, Santo Tomás, a ver, menuda oportunidad, un filón, pero ¿quién se iba a tragar un rollo así? Y, además, lo que yo digo, hijo, si la literatura moderna no tiene sentimientos, no te espantes las pulgas, que literatura moderna es lo que hacéis vosotros, y en tu mano está, pónselos, ya ves qué gracia, y si la novela debe ser reflejo de la vida, como tú dices, ahí tienes a Maximino Conde, un sentimiento bien fuerte, tú dirás, con la hijastra, si eso no es de la

vida, pues tú ni caso, pero que ni escucharme, ¿eh?,
que menuda carrera me di. Os quejáis de vicio, Mario,
reconócelo, como no sea que llames sentimientos a
lo de los guardias con los presos, o a comprar *Carlitos*
a todos los vagos de Madrid, o a compadecerse de los
locos, que, entonces, me callo, pero eso es tomar el
rábano por las hojas, monigote, que amor, amor, lo
que se dice amor es lo que hay entre hombre y mujer,
no le des más vueltas, que esto es así desde que el
mundo es mundo. Lo que te ocurre a ti, haragán, es
que respiras por la herida, que eres un rencoroso, que,
a la chita callando, eres de los que las guardas, que
todavía no has olvidado lo del guardia, que ahí está el
busilis, y eso de que te pegase no me lo creo, ni aunque me lo jures en cruz, fíjate, que no soy yo sola, ya ves
Ramón Filgueira lo que te dijo, lógico, y además en
esos sitios y a la hora que era no se van a andar con
miramientos, que aviados estarían en el Cuartelillo y
en la Comisaría si fuesen a guardar consideraciones
con cada granuja que se presenta. Y tú que "a callar;
ya llegará la hora de hablar", pensabas, pero ni en el
Cuartelillo ni en la Prevención te dejaron, natural,
ellos son la ley y tú chitón, en esos momentos un
delincuente, aunque te escueza, ni más ni menos, que
yo me acuerdo que lo de la bici en el parque desde
que era niña, no se podía, que no es que se lo inven-
taran ellos para fastidiarte. A ti te dio rabia caerte de
la bicicleta, ¡a que sí!, que, yo Comisario, hubiera
hecho lo propio, "no hay contradenuncia mientras un
médico no certifique", que a cualquier otro le hubiera

bastado, pero tú no, duro, a la Casa de Socorro, ¡hala!,
a molestar a las cuatro de la madrugada, que tampoco son horas, y que digas que te tropezaste con un
tipo a medida, que el medicucho aquel fue el que
te metió en cantares que si "hematoma producido por
los nudillos de una mano", que también hace falta
cuajo, vamos, que lo que Filgueira decía, "el propio
pedal", a saber, eso no puede averiguarse, pero tú,
venga, la contradenuncia, abuso de autoridad, una
monomanía, "aquí está el certificado", que si tú vas
derecho a Filgueira y le dices, "pues lleva usted razón,
Filgueira, me he obcecado", mejor nos hubiera ido, a
poco, y ni él ni Josechu Prados, ni Oyarzun, ni nadie
nos hubiera negado el piso, que también tú eres como
Dios te ha hecho, reuniendo todos los requisitos además, que era cosa decidida. Y sobre todo lo que Filgueira decía, "yo tengo que creer a mis guardias, un
guardia a esas horas es como el Ministro de la Gobernación", naturalmente, Mario, cariño, en esas circunstancias la máxima autoridad, que tú me dirás sin
ellos, el caos. Pero aun dando por supuesto que te pegase y que fuesen ciertos esos cuentos chinos de la pistola, tú debiste callar, Mario, que si un guardia en un
arrebato te da un mojicón no creas que lo hace por
divertirse, qué va, sino por tu bien, lo mismo que
hacemos con los niños. Hay una cosa evidente, Mario, que nos guste o no tenemos que aceptar, y es que
un país es como una familia, lo mismito, quitas la autoridad y ¡catapum!, la catástrofe. Nunca daré bastantes
gracias a Dios de que a tu pariente Luisito Bolado se

le ocurriera llamarte para que retiraras la denuncia,
que hay que ver cómo se portó, que otro falla contra
ti y tan tranquilo, menudo favor, que tú, en lugar de
agradecérselo, venga con que si una confabulación,
que no verías palabra más fácil, y que todos contra ti,
la copla de siempre, que no ves más que enemigos por
todas partes, fantasmas, hijo, que el que algo teme,
algo debe, como decía la pobre mamá. ¡Qué testarudez! Como un niño chico, Mario, que en el fondo eso
es lo que tú eres, menos el médico, todos de acuerdo,
la ley del silencio, y de nada valía intentar convencer-
te, que tú te haces una idea y no hay quién te apee
del burro, hale, caiga quien caiga. Y después de todo,
estas cosas te ocurren por ser un adán, porque si tú
vienes vestido como Dios manda, con los pantalones
planchados y los zapatos limpios, y dejas la bicicleta en
casita que es donde debe estar, ¿tú crees que hay un
guardia que te ponga la mano encima? Que no, Mario,
que no son manías mías, que cada cual debe vestir
según su clase, y un señor es siempre un señor, y es
otro respeto y otra consideración, no lo des más vueltas, y es natural además, pero si vas por la calle de
cualquier manera, con las solapas subidas y una boina
en la cabeza, ¿quieres decirme en qué te diferencias
de un peón y con mayor razón si es de noche? Y no
voy a decir que te estuviera bien empleado porque eso
no, que lo mismo podías haberte caído yendo arreglado, pero es que si un guardia o media docena de
guardias te ven con tu sombrero, con una ropa decente,
bien presentado, ni se les ocurre, fíjate, ni te dan el

alto, estoy segurísima, que a la legua verían que eras
una persona influyente y un hombre de bien. Pero con
esas trazas que vas, que ni aposta, Mario, ¿qué de
particular tiene que te tomen por un don nadie e inclusive que te den un sopapo? No, Mario, eso es algo que
no te podré perdonar por mil años que viva, un desa-
seo así, que haces gala, y luego fumando ese tabaco
que ya no se ve por el mundo, que apesta, hijo, porque
en el supuesto de que te den el alto, si tú hueles a
tabaco rubio, que te parecerá una bobada, ¿te crees
tú que el guardia no te pide disculpas? "Perdone, le
he tomado por lo que no es", seguro, si es de cajón,
que el hábito no hará al monje pero impone, vaya que
sí, estoy cansada de verlo, si inclusive entre la buena
sociedad, tonto del higo, que tú vas con un traje de
Cutuli y eres alguien, y la mejor gente, "¿quién es
ésa?", a ver, se interesa, "esa chica no es de aquí", y si
te bajas de un Mercedes, más todavía, que estaremos
hechos del mismo barro, yo no lo discuto, pero al fin
y al cabo humanos somos.

XXIV

Pero ellos, así que le vieron andar sobre el mar, creyendo que era un fantasma, comenzaron a dar gritos, porque todos le veían y estaban espantados, pero yo nunca me cansaré de repetírtelo, Mario, sentir miedo sin saber de qué es de tontos, pero de tontos de baba, hijo mío, así como suena, y tú, venga, que como cuando de chico te ibas a examinar, que una cosa así, en el estómago, pues ¡hazte cuenta de que ya te has examinado, tonto del higo! Pues no señor, dale, "es el plexo, no puedo...", que no sé a santo de qué, Luis, conociéndote, lo aprensivo y así, te da explicaciones, que desde que aprendiste lo del plexo, igual que con las estructuras, hijo, ídem de lienzo, que no se te caía de la boca, ¡madre, qué hombre! y todavía, el Moyanito ese, el otro día, que bien que le oí, que me hice la desentendida, tú dirás, que una sensibilidad acosada, o qué sé yo qué historias, que vosotros, en vez de hablar para que os entiendan, parece que hablarais en clave, hijo, como los del contraespionaje, que lo que decía Armando, "no me explico para qué piensan tanto. Piensan como si hubiera algo que arreglar, pero

yo no sé de nada que esté estropeado", natural. Y eso
que no te veía por las noches, Mario, que entonces
empezaba la función, "¿vienen?", y, tieso, lo mismo
que un palo, a escuchar, sentado en la cama, que yo,
en vilo, te lo prometo, "¿quién tiene que venir?", y tú,
"no sé, subían las escaleras", decías, que yo ni me atrevía a mover un dedo, el corazón paf, paf, paf, te lo
juro, "no oigo nada, Mario", y tú, "ya no, fue antes",
ya ves, que no te lo creerás, pero luego tardaba más
de un cuarto de hora en volver a agarrar el sueño,
que aquello era el no vivir, una pesadilla. Como cuando salías con la patochada de que tenías miedo de
que se te ocurriera suicidarte, habráse visto cosa igual,
tener miedo de uno mismo, pues que no se te ocurra,
botarate, que en tu mano está, que ya es afinar tener
miedo de una ocurrencia. Y luego, que perdías pie, y
que sentías vértigos sólo de pensar que estabas sobre
una bola suspendida en el infinito, que yo se lo decía
a Valen, "qué cosas dice, Valen; está para encerrar",
y, en vista de eso, a tumbarte en la cama, que menuda
vida te pegaste a costa de los nervios, hijo, que lo que
Antonio decía, a ver, por su gusto, pero él no es más
que una pequeña pieza de una gran máquina, se debe
al Ministerio, y lo único, permiso por enfermedad, con
la mitad del sueldo, lo que nos faltaba, que tampoco
te hubiera matado, creo yo, un par de horas en el Instituto a decir lo mismo de siempre. Pues, no señor, "no
lo resistiría", "es superior a mis fuerzas", ¿te parece
bonito?, que si a ti te entrechocaban las ideas, hazte
cuenta de lo que habré pasado yo con mis jaquecones,

algo horrible, cariño, lo mismo que si me machacasen
la cabeza con un martillo, pero no, naturalmente, eso
no tenía importancia, "con un par de optalidones, mañana como nueva", que así da gusto. Y no sería porque
Luis no te lo advirtiera, "el mejor remedio, un poco
de voluntad", claro que como tú nunca la has tenido,
que no has conocido la voluntad ni por el forro, pues
eso, a la cama, a descansar de no hacer nada, como yo
digo. Y todavía si la cama te hubiera acercado a mí,
vaya, pero ni ese consuelo, lo mismo que si te acosta-
ses con un carabinero, que eso es lo que peor llevo, fíjate,
y no por el hecho en sí, que de sobra sabes que a mí
esas porquerías ni frío ni calor, sino por lo que significa, que ya llovía sobre mojado, Mario, que después
de lo de Madrid, esto, que no creas que todas lo hubieran aguantado, un desprecio así, que ni a Valen se lo
he contado, ya ves tú, del apuro que me da, y Valen
para mí, ya lo sabes, como una hermana. Eso sí, por
falta de lágrimas no quedaría, que éste es el día que
todavía no he averiguado por qué llorabas, que me
ponías el camisón perdido, hijo, de tenerme que mudar,
y dale con tu estribillo, que mejor que te cortaran las
piernas y los brazos pero que el trozo que viviera,
viviera a gusto, todo menos vivir así, ya ves qué disparate, quién va a vivir a gusto sin brazos y sin piernas,
en qué cabeza cabe, que las primeras noches yo pensaba, "¿estará borracho?", pero qué va, si no probabas
una gota. Pero para ti no había ya días buenos, ni
malos, que hay que ver la noche que empecé a hacerte
cosquillas con el pie, ¿te acuerdas?, una insinuación, a

ver, que menudo respingo, hijo de mi alma, y, luego,
sin venir a cuento, venga de hipar, como si te mataran,
vamos, déjame en paz, que me dejaste fría, que, al
fin y al cabo, si yo hacía eso era por tu bien, que lo
que es a mí... Y te advierto que se me notaba, ¿eh?,
que yo no sé qué tendría esos meses, pero Eliseo San
Juan loco, "qué buena estás, qué buena estás, cada día
estás más buena", pero fuera de sí, mucho más que
otras veces, que al principio me asustaba, te lo prometo, qué persecución, pero lo que Valen dice, al fin y
al cabo, un homenaje, hija. ¿Y lo de la pobre Valen?
No me digas, Mario, dos veces plantada con la comida
en la mesa, dos veces, Mario, que se dice pronto, que
ella había echado el resto, ya sabemos lo que es, y tú
que si las náuseas o las historias, que menos mal que
con Valen tengo confianza y Vicente es comprensivo,
que si no, para matarte, que, a fin de cuentas, ella lo
hacía por distraerte, pero eso contigo no reza, "¿para
qué? ¿para qué? ¿para qué?", ¡cuántos paraqués, adoquín!, pues para lo que se hacen esas cosas, pedazo
de alcornoque, para matar el tiempo, a ver, para que
se pase sin sentirlo, de eso se trata, vamos, creo yo.
Te ponías insoportable, Mario, como un niño capri-
choso, "otro día igual, no lo resisto; lo mismo que
ayer. Dios mío, dame serenidad", ya ves lo que ibas
a pedir a Dios, tonto de capirote, con la falta que nos
hacen otras cosas, que tú no estás bien de la cabeza.
Los nervios, valiente excusa, los médicos, cuando ya
no saben qué inventar enseguida lo achacan a los nervios, porque lo que yo digo, Mario, si no te duele nada

ni tienes fiebre, ¿de qué te quejas? Claro que te pones a mirar y la culpa es nuestra y nada más que nuestra por andar todo el día de Dios pendientes de vosotros, que somos unas tontas, porque si tuvierais miedo de que os la pegásemos, a buena hora os ibais a acordar de los nervios. Eso o trabajar, que estas cosas de los nervios, no hay quien me lo saque de la cabeza, es enfermedad de holgazanes, que si tuvierais una oficina o un Banco, donde trabajar ocho horas seguidas como Dios manda, otro gallo nos cantara, en todos los sentidos, fíjate. Es como lo de dormir, botarate, si te pasabas todo el santo día, como quien dice, tirado en la cama. Si trajinaras un poquito, ya verías lo que es bueno, pero no se puede comer sin hacer antes apetito, como diría la pobre mamá. Los hombres me hacéis gracia, Mario, os enfermáis cuando queréis y os sanáis cuando os da la gana, porque no me digas, si al sentir vértigo le das importancia, fíjate dónde tendría que estar yo que no puedo ni subirme a una silla. Que si en el mismo autobús, date cuenta, ¿qué me vas a decir a mí?, que me gustaría verte en el Tiburón de Paco, Mario, eso, sólo un minuto, ya ves, por puro capricho, para que supieras lo que es vértigo, ¡Santo Dios!, si parece que ni tocas el suelo. En realidad, yo no quería, te lo puedo jurar, no por nada pero la gente es muy mal pensada, y Crescente fisgando todo el tiempo desde el motocarro, pero Paco me abrió la portezuela y yo no tuve valor. Y lo que son las casualidades, a los pocos días la misma operación, un frenazo de película, Mario. "¿vas al centro?", y en la misma parada del autobús, lo que son las cosas, que luego cuando le confesé que no sabía conducir, que no teníamos coche, no te puedes imaginar qué coscorrones, pero fuerte, ¿eh?, "¡no, no, no!", de no creérselo, ya ves tú, que él se pensaba que era guasa, y yo ni sabía qué cara poner, Mario, más achicada que otro poco. Con el talento de Paco, no te hubiera asustado la rutina, Mario, ya te lo digo desde aquí, que si desayunar, trabajar, comer, amar, dormir, todos los días lo mismo, "como mulas uncidas a una noria", a ver qué te crees, qué otra cosa vas a hacer, zoquete, lo único en sitios diferentes, mira Paco, pero, por lo demás, animales de costumbres somos, valiente novedad, ¿es que también puede dar miedo el hacer todos los días lo mismo? No te enfades, Mario, pero para mí lo que a ti te asustaba era trabajar, porque no me vengas ahora con que escribir es trabajar, menudo momio, que tú con tal de justificarte eres capaz de negar la luz del día, que escribir y tocar el violón es todo uno. Y, sobre todo, si tanto miedo te daba, no haberlo hecho, que por mi gusto, ya lo sabes, cualquier cosa mejor, unas representaciones, o un negocio, o la construcción, ya ves ahora con eso del Polo, inclusive, cualquier cosa, que tú mismo dices que sentías náuseas de leer el periódico, y quién no, si en "El Correo" ese de mis pecados no contáis más que lástimas, hay que ver, y dale con que si la frivolidad y la violencia, cobardica, que eres un cobardica, y que si los hombres no se entienden, y a ti ¿qué?, aviados estaríamos si cada vez que riñen los chinos o los negros fuésemos a perder el apetito. ¡Que cada cual se las componga como pueda, ¡cariño! Al fin y al cabo nadie tiene la culpa de que tengan la cabeza cuadrada. Pero de eso a escribir en el plan que escribías, media un abismo, que asco me daba a mí también "El Correo" y no creo que ande mal de los nervios por eso, cabeza dura, que muchísimas veces pienso que tú estabas bien cuando estabas mal, y mal cuando estabas bien, aunque parezca un despropósito. Los nervios, los nervios... los nervios salen a relucir cuando se está demasiado bien, eso, cuando uno tiene todo resuelto y vive tranquilamente y sin preocupaciones. Entonces salen los nervios y todo lo que tiene que salir, que no sé a santo de qué esa perra, "¿vienen?", que me metías el corazón en un puño, hijo, y a despertarme, sin la menor consideración, que a saber a quién esperabas, que no había manera de sacártelo ni con sacacorchos, y no es que yo apruebe el trasnochar por sistema, entiéndeme, ni muchísimo menos, pero cada vecino es muy dueño de acostarse a la hora que le venga en gana. Es como lo de llorar, las primeras veces me desgarrabas el corazón, ¿eh? ¡Dios mío, qué hipo! Y "¿por qué lloras, querido?", y tú, "ni lo sé, por todo y por nada", ¿tú crees que ésas son formas? Y todavía Luis dándote por el gusto, que no es más que un Don Concedo, "emotividad incontrolada. Depresión", que lo primero, vaya, lo admito, pero lo que yo le dije, y no me arrepiento, Mario, que me tuvo que oír, "deprimido no te lo consiento", tú dirás si tenías motivos, mira que eres, la comida a su hora, las camisas siempre a punto, una mujer pendiente de ti, ¿qué más

puede pedirse? Ahora, que me diga que te estaba
saliendo todo lo que no salió a su tiempo, ése es otro
cantar, pero que hable claro, sin tanto rodeo, al pan,
pan y al vino, vino, que los médicos hablan como
escriben, no me digas, que sólo les entienden los
farmacéuticos, y para eso, algunos, que no son más
que ganas de darse importancia. Porque, lo que yo
digo, quien más quien menos, todo el mundo tiene un
montón de lágrimas por derramar en la vida, es como
una fábrica, lógico, y si no las echas a tiempo, las
echas a destiempo, la cosa no tiene vuelta de hoja.
Y no sería porque no te lo advirtiera, cariño, acuérdate cuando lo de tu madre, detrás de ti, a todas partes, "llora, Mario, llora; luego eso sale y es peor", como
una sombra, y tú, de repente, "¿por la costumbre?",
que me dejaste helada, la verdad, que no son modales me parece a mí, que si yo te lo aconsejaba era por
tu bien, con la mejor intención del mundo, te lo juro.
Y con lo de Elviro y José María, idem de lienzo, la
cara de palo y ya está, de llorar ni pum, que yo no
sé si todo esto no te habrá creado un complejo, lo
más seguro, pero tú, punto en boca y a callar, que
bien cerquita me tenías para desahogarte, y otra
cosa no, pero a comprensiva nadie me gana, y lo que
debiste hacer es hablarme de ellos, que yo a Elviro,
y no es de ahora, le estimaba, ya lo sabes, y José María, ideas aparte, me caía bien simpático, palabra, me
imponía, fíjate, y desde que me preguntó si era yo la
chica que te gustaba, le huía, ya ves, me escondía en
los portales, que Transi, "¿estás tonta? ¿Es que crees

que te va a comer?", pero yo no sé, no lo podía remediar, era como si me adivinara lo que pensaba, me
ponía toda colorada, cosas de chicas, pero no acertaba
ni a rechistar. Pensándolo bien, eso tuyo fue un complejo, nada de nervios, seguro, un complejo como una
casa, todo por no desahogarte a tiempo, que a mí me
hablas de tus hermanos y, figúrate, encantada, qué
más quisiera, lo que no podía admitir, compréndelo,
eso es ridículo, es que me salieras con el cuento de que
tus hermanos pensaban lo mismo y que si José María,
aquí, se pasaba, Elviro, allí, no llegaba, ya ves tú qué
ocurrencia, que Elviro era una bellísima persona, y
José María, lo mires por donde lo mires, un tipo de
cuidado. Es como lo de que dijo, cuando le iban a fusilar, figúrate, que no era la primera vez que un justo
moría por los demás, historias, muerto de miedo es lo
que estaría y rezando el Señormíojesucristo, natural,
que no es que se lo censure, entiéndeme, que me parece lógico, pero vosotros, con tal de hacer una frase,
sois capaces de poner en evidencia hasta a los muertos.

XXV

Yo te fortaleceré y vendré en tu ayuda, sí, contigo, una ayuda, yo misma lo comprendo, pero si a la niña no la da por ahí, por mi parte no pienso reprochárselo, que hay que respetar la personalidad, Mario, y cada uno es cada uno, y te pones a ver y hoy la reválida de cuarto es más que el bachiller de antiguamente, que todo va a la par, y ya ves el dinero, una peseta de aquellos entonces, como ciento de ahora, y puede que me quede corta, que parece que no pero la vida está veinte veces. Hoy se exige mucho, Mario, desengáñate, y únicamente los superdotados, ahí tienes a los García Casero, cerdos, y como ellos, casi toda la gente bien, granjas y representaciones, a ver, de mejor tono, no me digas, si hasta las mismas chicas, ya oyes a la pandilla de Menchu, "chicos con carrera, ni hablar; son unos rollos", y no les falta razón, cariño, porque dime tú a ver qué universitario hace hoy las delicias de un guateque; ninguno, es que no falla, si, por no saber, no saben ni sostener una copa en la mano, lógico, o una cosa o la otra, déjate de preocupaciones nobles, testarudo, que eres muy testarudo, que la niña, lo que tiene que hacer, que a Dios gracias no la ha de faltar dónde elegir, es echarse un novio como Dios manda, que para privaciones bastantes ha pasado ya su madre. Mira Julia, con su noble preocupación por la música el pelo que ha echado, ahí la tienes, una casa de huéspedes, a ver, tú me dirás, todo lo norteamericanos que quieras, estudiantes y eso, sí, de acuerdo, de mejor pelaje, puede, pero hasta cierto punto, mira lo del negro, que no sé por qué regla de tres te pusiste así con papá, no hay derecho, Mario, que en la encuesta de la Tele ya lo oíste, bien claro lo dijo, y bien bien que estuvo, fíjate, que hasta le felicitó el Vicepresidente de Comercio, "todos somos hijos de Dios; el problema racial es un problema de almas y no de cuerpos", date cuenta, no creo que se pueda decir más en menos palabras, que Valen estaba entusiasmada, y yo, lógico, pero de eso a meterlo en casa... Y no hay motivo para ponerte en ese plan, Mario, ninguno, ya ves, que aparte la repugnancia natural, hay que ver el quehacer que debe de dar un negro, imagina, sólo en lavado de ropa, que yo, francamente, le comprendo a papá, "un suplemento de treinta dólares o no me hago cargo", como todo hijo de vecino, natural, pero eso no cambia los sentimientos de papá, Mario, que bien claro lo dijo en la Tele, "todos somos hijos de Dios", más claro, agua, hijo mío, que en la calle, todo el mundo que qué estupendo, a ver, y que si los extranjerotes esos pensaran en cristiano, como papá, en el mundo no habría problemas raciales o eso. Yo estoy con papá, Mario, completamente de acuerdo, todos iguales, para

Dios no hay diferencias, negros y blancos por un mismo rasero, ahora bien, los negros con los negros y los blancos con los blancos, cada uno en su casita y todos contentos, y si la Universidad esa, como se llame, que nunca acabaré de aprenderlo, me quiere colocar un negro, que pague doble, a ver, que también los perros son criaturas de Dios y al demonio se le ocurre meterlos en casa. Hay que ser razonables, querido, y mirar las cosas con una poquita de objetividad, que papá bien claro lo dijo, "todos somos hijos de Dios", pero eso es en cuanto a las almas, en orden a la salvación eterna, ¿comprendes?, pero no hay ley divina que te obligue a aceptar un huésped de otro color, pues sólo faltaría. Y déjate de puntaditas y de que si del dicho al hecho va un trecho, enredador, que siempre disfrutaste buscando las vueltas al prójimo, porque lo que yo digo, si en Madrid no hay negros, que no venga, que te pones a ver y nadie le ha llamado, que estudie en su pueblo, no me vayas a decir ahora que en América no hay Universidades, que ya le oyes a Vicente, que bien buenas que son. No te sulfures, Mario, pero para mí que a don Nicolás le mandan cocos los negros o algo; si no, no me lo explico, hay que ver cómo les defiende, yo no sé si tendría un abuelo o así, pero diga lo que diga, los negros, no hay más que fijarse un poco, están hechos de otro barro, para otra clase de oficios, la caña de azúcar y así, que lo más, boxeadores, cualquier cosa, el caso es a lo bruto, no digas que no, todos. Por eso me indignaste, Mario, para qué te lo voy a ocultar, cuando le escribiste aquella carta a

papá, que una cosa es predicar y otra dar trigo, y que
del dicho al hecho va un trecho, que él no se merecía
esto, que eres un desagradecido, que ya sé que son
veinticuatro años, pero si no es por el pobre papá, que
menuda Memoria te hizo, de qué sacas tú las oposiciones, claro que eso para ti no tiene importancia, gajes,
en cambio que suba la pensión a un negro, ya ves, qué
significarán treinta dólares para esa gente, un sacrilegio, que a saber quién te dio a ti vela para ese entierro, que lo que tú no le perdonas a papá es que no le
gustasen tus libros, que fuese sincero, que hay que
ver lo mal que te sentó que te dijera que lo social o eso
es el recurso de los que no saben escribir, que, además,
dejémonos de rodeos, es una verdad como un templo.
Sólo te he visto igual cuando Recondo te puso Cruzada en vez de guerra civil, que qué lo mismo dará,
como digo yo, o cuando lo del guardia, o cuando lo
de la casa, que a saber qué te pensabas, que eres más
infeliz que un cubo, y todavía dale con que si los pisos
eran para funcionarios, preferibles casados y preferibles familias numerosas, legalmente no tenían salida,
me río yo, que vosotros sólo acatáis las leyes cuando
os convienen, y, a fin de cuentas, si Canido no tiene
hijos, ya ves tú qué hijos va a tener un viudo de sesenta y no sé cuantos años, o Agustín Vega, está soltero,
y todos así, por lo menos son gente adicta, no lo discutas, que lo que no se puede, zascandil, métetelo
en la cabeza, por muy funcionario y muy familia numerosa que seas, es exigir las cosas por las bravas, por
aquello del aquí estoy yo, que para eso existe un

Consejo, o como se llame, y éste sí, éste no, selecciona, por sus antecedentes sobre todo, a ver, que eso aunque no lo diga la ley, es de cajón, se sobreentiende, que toda esa historia de recurrir son tonterías, tú dirás, meterte en pleitos con las autoridades, te quedas sin piso y, si me apuras un poco, tienes que vender hasta la alcoba. Tontunas, Mario, que eres muy ingenuo, que hablas por hablar, "es de justicia; llegaré hasta donde haga falta", que te temo, fíjate, te temo más que a un nublado, a voces, "es de justicia", por todas partes, y menos mal que Luisito Bolado te disuadió, que después de lo del guardia, en cuanto le vi, me dije, "le manda a paseo, bueno es Mario", palabra, que todavía no sé cómo tuvo valor, que yo estaba aterrada, y lo que él dijo, al fin y al cabo, te han asignado un ático con tres habitaciones, no han infringido la ley, eres tú el que renuncias, que, a ver, eso sí, dónde íbamos con tres habitaciones, de acuerdo, pero antes de reunirse el Consejo, cuando cubrieron aguas, yo pude hacer algo, Mario, y tú te plantaste, la cabezonada, ya ves Josechu, sus padres visita de los míos de toda la vida, que yo me las hubiera agenciado para quitar hierro a todo aquel asunto del acta, y con Oyarzun y Solórzano, equilicual, recomendaciones no habían de faltarnos, que no sé a qué viene esa testarudez tuya, "si das un paso, retiro la solicitud", que te hubiera matado, un mes llorando, que se me retiraron mis cosas y todo, te lo juro, porque el Delegado dio la cara y a poco que Josechu, Oyarzun, Solórzano o el propio Filgueira le hubiesen apoyado, el piso era nuestro, ten-

lo por seguro, imagínate, seis habitaciones, calefacción
y agua caliente central, de cambiarme la vida. Pero
te estuvo bien empleado, Mario, al fin y al cabo reco-
giste lo que sembraste, ni más ni menos, que si tú no
te pones tan pesado con que si a contar, ni le llevas la
contraria a Solórzano, que, en definitiva, te dio lo mismo, y si no te pones como te pusiste contra el guardia
y, en lugar de eso, como suele decirse, te llegas donde
Filgueira y le dices, "tiene usted razón, Filgueira, me
he obcecado", no hubiera habido fuerza en el mundo
capaz de quitarnos el piso, ya te lo digo desde aquí.
Y aun con eso y con todo, Mario, para qué nos vamos
a engañar, si tú me dejas las manos libres, ¡de qué!;
una mujer dispone de muchos recursos, hijo, sin necesidad de rebajarse, para mover a compasión, que por
probar nada se pierde, que yo no sé que os creéis
vosotros con un título universitario, ya ves tú, un
universitario que se os llena la boca, y, en resumidas
cuentas, un universitario ¿qué?, un muerto de hambre,
eso, mira Paco, no ha necesitado títulos para ser una
personalidad, que os creéis que con los libros se va a
alguna parte y los libros para lo único que sirven es
para poneros la cabeza como un bombo, que yo no
sé la cantidad de gente de ésa que ha renegado de
Dios, tú, sin ir más lejos, ya ves, que fue una pena
que la Revolución Francesa no la apoyase la Iglesia,
una blasfemia así, que cuando al día siguiente te vi
acercarte a comulgar, me quedé de nieve, te lo prometo, que la misma Bene, para que lo sepas, "se habrá
confesado, ¿no?", que yo, "mujer, imagino", a ver qué

la iba a contestar, que me pones en cada compromiso,
como cuando la conferencia, tú me dirás qué tienen
de malo los festivales benéficos, que bien de dinero se
recauda y para fines bien buenos que son. Es que me
hacéis gracia, Mario, bueno, gracia, ya me entiendes,
que hay veces que una ríe por no llorar, que no sabéis
más que poner pegas y luego, acuérdate de lo del
cordero de Hernando de Miguel, ni tú mismo sabes
si has obrado bien o mal, y te entra el escrúpulo,
natural, que si no puedes mover un dedo sin ofender,
monsergas, mírate en mi espejo, ¿ofendo yo?, dime la
verdad, ¿ofendo yo?, no, ¿verdad?, pues claro que no
y, mira, bien de ello que hablo, que no paro, tú me
dirás, una tarabilla, que muchas veces, si no tengo con
quién, pues yo sola, fíjate qué risa, cualquiera que me
viese, pero me importa un pito, que a mí las habladurías, teniendo la conciencia tranquila, me tienen sin
cuidado. Complejos, eso es lo que tenéis vosotros, que
estáis llenos de complejos, Mario, es como lo de los
servilleteros, ya que tenemos poco que hacer, otras
cosas deberías enseñarles a los niños, que a Dios
gracias ninguno tenemos una enfermedad contagiosa.
Pues, no señor, cada niño su servilletero, siempre ha de
ser lo que tú digas, una manía, porque todavía en casa
que éramos cuatro gatos, y con un servicio como Dios
manda, pase, pero lo que es aquí, ¿me quieres decir lo
que adelantamos con eso? Sembrar la desconfianza,
ni más ni menos, que a la misma Doro, y ya ves que
es ciega por ti, había que oírla, "a ver qué se cree
nuestro señor; todavía si alguno estuviese del pecho",

que es lo que yo digo, si, a Dios gracias, todos estamos sanos, ¿para qué tanta etiqueta? No te haces
cargo, que es lo que más rabia me da, que luego, un
buen día, el capricho, "hay que arrimar el hombro",
pues ponte en la realidad desde un principio, alcornoque, y si no se puede, no se puede, que son muchos
hijos y muchas teclas, que una casa no marcha sola,
y si a mí me vieses cruzada de brazos, todavía, pero
tú dirás, si no paro ni de día ni de noche, que no tengo
un minuto ni para respirar, que hay que darse a razones, Mario, y, por no tener, ni sitio donde guardar la
ropa, que tú mismo lo puedes ver, como andamos, mira
ayer, ni rebullirnos, y tú, encima, "si das un paso retiro
la solicitud", ya ves qué bonito, que en nuestra mano
lo tuvimos, y con un piso de ésos me hubiese cambiado
la vida, así como suena, menuda, y después de todo,
nada iba a pasar por recordarle a Josechu que sus padres eran visita de casa, cualquier cosa antes que con-
fiarte en que eres funcionario y familia numerosa, que
eso de los requisitos, ya se sabe, Mario, que no es de
hoy, que los requisitos se saltan a la torera cuando
conviene, yo recuerdo la pobre mamá que en paz descanse, "el que no llora, no mama", date cuenta, pero
me da rabia contigo, Mario, la verdad, que parece
como que se fueran a hundir las esferas por pedir una
recomendación, cuando en la vida todo son recomendaciones, unos por otros, de siempre, para eso estamos,
que estoy harta de oirla a mamá, "el que tiene padri-
nos se bautiza", pero contigo no hay normas, ya se
sabe, los requisitos, "soy funcionario y familia nume-

rosa; no tienen salida", como para fiarse de ti, hijo, que vosotros os agarráis a la ley cuando os conviene, que no queréis daros cuenta de que la ley la aplican unos hombres y no es la ley, que ni siente ni padece, sino a esos hombres a los que hay que cultivar y bailarles un poquito el agua, que eso no deshonra a nadie, adoquín, que te pasas la vida tirando puyas y, luego, porque la ley lo dice ya te piensas que todos de rodillas, y si te niegan el piso, un pleito, recurrir, ya ves qué bonito, contra las autoridades, lo que nos faltaba, que yo no sé en qué mundo vives, hijo de mi alma, que parece como que hubieras caído de la luna.

XXVI

Toda revelación es para vosotros como libro sella-
do; se le da a leer a quien sabe leer, diciéndole: Lee
esto, y responde: No puedo, el libro está sellado.
O se da el libro a quien no sabe leer, diciéndole: Lee
esto, y responde: No sé leer. Es lo mismo que tú,
Mario que me hiciste reir, palabra, la seriedad con que
dijiste en la entrevista aquella que hoy en España no
se lee, que te crees que porque no te lean a ti a los
demás les va a suceder lo mismo, que estoy cansada de
decirte que tú, escribir, sabes escribir, que escribes con
soltura y eso, pero, hijo mío, de unas cosas tan aburri-
das y de unos tipos tan poco apetecibles que tus libros
se caen de las manos, la verdad. Y no es que lo diga
yo, recuerda a papá, y papá en estas cosas es alguien,
vamos, me parece a mí, pues ya le oiste, que no es
que vacilase, "si escribe para distraerse, pase, pero si
busca la gloria o el dinero que tire por otro camino",
más rotundo no cabe, y papá, ya lo sabes, una autoridad, que en el ABC no saben dónde ponerle, que no
es precisamente un indocumentado, que menuda Memoria te hizo, de libro, hijo, que a mí, que nunca me

dio por ahí, me la tragué sin respirar, tres veces, no
te creas, que recuerdo que me encantó todo aquello
del método regresivo, eso de estudiar la Historia para
atrás, como los cangrejos, porque todas las cosas tienen
su porqué, como suele decirse, no pasan en balde.
Prescindiendo de que fuera mi padre, debisteis editar-
le la Memoria en la Casa de la Cultura, fíjate, hubiera
sido un exitazo, me juego la cabeza, porque aunque
corta y así, que eso se arregla con una letra un poco
más gorda, tenía mucha miga, que hoy la gente es
lo que quiere, desengáñate, libros de amor o libros con
sustancia, una de dos, pero para aburrirse o para perder el tiempo ten por seguro que nadie compra un
libro, que es a lo que voy, borrico, ¿me quieres decir
quién iba a leer tus cosas, y perdona mi franqueza, si
tus protagonistas cuando no son pobres son tontos?
Fíjate en "El Castillo de Arena", sin ir más lejos, que
digo éste como podía decir el otro, un paleto al que le
van robando sus tierras, una a una, hasta quedarse con
lo puesto, un patán sucio que para acabar de arreglarlo tiene una mujer desdentada que no hace más
que insultarle. Y todavía ése, vaya, que lo de "El Patrimonio" es todavía peor, hijo, figúrate a estas alturas
a quién va a interesarle la historia de un sorche que
va a la guerra en un país que no existe y no quiere
matar a nadie, ni que le maten, y por si fuese poco le
duelen los pies. Te digo, Mario, cariño, que ni busca-
dos con candil, ni aposta encuentras unos protagonistas más estrafalarios, y precisamente ahora, ya ves,
que sorches no son más que los patanes, figúrate, que

los chicos de familia un poco así, con eso de las Milicias, son todos oficiales, que te prometo que al empezar "El Brazo Derecho", el día que me dijiste que el protagonista no era pobre, me llevé una alegría, te lo juro, que por un momento pensé, que parezco tonta, que ibas a escribir lo de Maximino Conde para darme una sorpresa, que te guste o no, era un argumento de película, ya ves, pero ya, ya... El Ciro Pérez ese, que tampoco podías encontrar un nombre más vulgar, hijo, es una especie de retrasado mental que lo poco que piensa lo piensa en chino, un tipo absurdo que ni sabe lo que quiere ni adónde va, que aquello era de tal manera enrevesado, cariño, que no entendía ni jota, pero tuve la fuerza de voluntad de aprenderme trozos de memoria, pero largos, ¿eh?, y de carretilla, como un papagallo, para comentarlos luego con mis amigas, que uno era como aquél del labrador de Villaloma, el que escribió a Valen, sí hombre, que la conoció en una cacería, ya casada y todo, una carta tronchante que nos la aprendimos todas de memoria, que empezaba, "si el interés lo tiene por defecto, tal es así que no quiere contestarme, le suplico Valentina que me escuche aunque no sea más que por amistad", ¿te acuerdas?, graciosísima, bueno, pues hice igual, Mario, me eché al coleto una parrafada, una que decía, decía, verás, "en hacer el bien, Ciro encontraba una complacencia, una inconfesada satisfacción, con lo que automáticamente quedaba excluida toda interpretación meritoria de sus acciones y abierta la posibilidad de una reparación ulterior. De ahí, su tortura...", ¿qué te pare-

ce? ¿no te recuerda horrores a las cartas del tipo aquel
de Villaloma? Dime tu verdad, Mario, vaya parrafito,
no me digas, ni aposta, que Valen se mondaba, pero,
hijo, Esther, sin venir a cuento, se enfurruñó, ya ves tú
qué salida de tono, qué la iría a ella, y venga de expli-
car, pero de malos modos, ¿eh?, llamándonos de todo,
que lo que quiere decir Ciro Pérez, que yo, oír Ciro
Pérez y caerme de risa era todo uno, y Valen para qué
te voy a contar, y Esther cada vez más furiosa, que si
éramos unas analfabetas, bueno, pues que lo que quería decir Ciro Pérez, según Esther, es que cada vez
que cedía la acera, o el asiento en el autobús, que
hay que ver, aquí, para inter nos, lo pesadito que se pone, Mario, siente una satisfacción y piensa "soy bueno",
como con un poco de orgullo, ¿comprendes lo que
quería decir Esther?, pues desde el momento que se
envanece, ceder la acera deja de ser una acción meritoria y puede ser inclusive pecaminosa, ya ves qué
líos, que a ti ni se te habrá ocurrido eso, lo más seguro,
que Valen empezó a voces: "¡Pero ese hombre es tonto,
hija!" y a mí me entró la risa, un ataque, Mario, como
lo oyes, y Esther para qué te voy a contar, cada vez
más excitada, hasta que de repente, toda roja, empezó
a chillarme, "¡no te rías así, Carmen, no te rías así,
que ese hombre puede ser tu marido!", ya ves qué
sandez, por mortificarme, a ver, que yo, "oye, mona,
por lo que más quieras", muerta de risa, que no me
podía contener, Mario, me era imposible, ¡qué juerga,
Dios mío!, y ella, que era inútil tratar de hacernos
comprender a nosotras esas tensiones, me parece que

dijo tensiones, que está en un plan redicho que no hay
quien la aguante, y que en lugar de ceder el asiento
pusiera negarse a firmar un acta o comprar un *Carlitos* en Madrid, como decía yo que tú hacías, que Valen
saltó entonces: "Mario lo hará, pero no se plantea
luego problemas idiotas", y Esther que qué sabíamos
nadie de los conflictos íntimos de cada hombre, tú me
dirás, vaya un conflicto, que lo que yo le dije, "Esther,
mona, no desbarres, conozco a mi marido mejor que
tú", pero Valen seguía riéndose y, entonces, Esther,
cogió el portante y se marchó chillando que no teníamos ni pizca de sensibilidad, ya ves tú, que me
molestó, qué sabrá ella, y otra cosa a lo mejor no, pero
sensibilidad, Dios mío, si es una de mis peplas, tú lo
sabes, cariño, pero si cuando estoy indispuesta ni mayonesa puedo hacer, toda se me corta, que bastante
desgracia tengo, que Esther será muy buena amiga y
todo lo que tú quieras, pero con eso de haber estudia-
do, adopta unos aires que no hay quien la aguante,
que yo me hago de cruces pensando cómo congeniará
con Armando, más opuestos no cabe, él con esa vita-
lidad, si sólo piensa en comer, pero lo cierto es que le
tiene loco, a él que no le toquen a su mujercita, que
hay que ver el trepe que armó la otra noche en El
Atrio, total por nada, que si la miraron o la dejaron de
mirar. Yo no sé, a veces me da por pensar que tú
hubieses encajado con Esther, y otras que no, yo creo
que demasiado parecidos tampoco resulta, no sé, es
un lío, pero lo cierto, Mario, no nos engañemos, es que
tú no eres un tipo de hombre de gustar a las mujeres,

que físicamente vales bien poquito, seamos francos, pero algo debes de tener, alguna gracia oculta, que a la que gustas la trastornas, ¿eh?, las cosas como son, ahí tienes a Esther y a tu cuñada Encarna, que digas que yo no soy celosa, que si no... Me gustaría que oyeses a Esther en los tes de los jueves, si tus libros salen a colación, ya se sabe, el evangelio, símbolos, tesis, lo que quieras, menudo abogado, hijo, que no sé cómo los jueves no te zumbaban los oídos hasta quedarte sordo, vaya sermones, hasta donde no la importaba, válgame Dios, tú dirás, que no te animara a buscar otro empleo, ya ves, que eso sería destruir tus posibilidades, imagina, que yo no sé, la verdad, donde te encontraba tales talentos, que lo que yo dije un día, que ella furiosa, claro como con la fábrica de Armando tiene el riñón cubierto, que lo que yo la dije, "si el talento no sirve para ganar dinero ya no es talento, guapina", porque es la pura verdad, Mario, no me digas, tanto incienso, tanto incienso, que me tiene harta. La pánfila de Esther presume de conocerte mejor que nadie pero no sabe de la misa la media, que me gustaría verla en mi caso, ni dos semanas, ya te lo aseguro yo, que una cosa son los libros y otra muy distinta la persona, que a testarudo no hay quien te gane, y no es que lo diga yo, que ya lo dijo, y bien claro, Gardenia, ¿recuerdas?, la grafóloga que hubo en "El Correo" antes de venir don Nicolás, cuando "El Correo" se podía leer, que daba gusto, pues la mandé una cuartilla tuya sin que lo supieras, y te retrató, hijo, en mi vida he visto una cosa igual, que yo pensaba "ésta le conoce, seguro", que no puede decirse más en menos palabras, la misma Valen, ya ves, "hija, es que le retrata", tronchada, y venga de leerlo, "perseverante, idealista y poco práctico; alimenta ilusiones desproporcionadas", ¿qué te parece?, tú pon testarudo, donde dice "perseverante", iluso donde dice "idealista" y holgazán donde pone "poco práctico" y tendrás tu ficha completa, que nadie diría, cariño, que de la letra de uno se puedan sacar tantas cosas. Pues todavía, la pánfila de Esther que me faltaba sensibilidad para apreciarte, ya ves qué sabrá ella, precisamente sensibilidad, si hubiera dicho otra cosa, que yo recuerdo a mamá, que en paz descanse, "hija mía eres como un barómetro", que me ponía a hacer mayonesa estando mala y ya se sabía, a arreglarla, y no me digas, Mario, que tú estabas a un paso, cuando se me cayó el diente a la piscina, temblaba y todo ¿eh?, tú lo viste, una temblorina como en pleno invierno, ¿eh?, que luego una semana en cama devolviendo, que me alteré toda, menudo disgusto, que al Chucho Prada dichoso le hubiera matado, "antes se te caen los tuyos que el que te he puesto", como para fiarse. Si eso no es sensibilidad, Esther dirá lo que es sensibilidad, que la muy sandia se cree que sensibilidad es leer, atiborrarse de libros, cuanto más rollos, mejor, que no es que yo vaya a decir que una sea muy cultivada, Mario, que ni tiempo, tú lo sabes, pero tampoco una analfabeta, Mario, ya ves, que tu Memoria, bueno, la de papá tres veces, y no era precisamente un libro divertido,

y los de Canido, que digáis lo que digáis a mí me
encantan, y los tuyos, Mario, no digas, todos, uno
détrás de otro, y aprendiéndome párrafos de carrerilla,
de pe a pa, y antes de casarme, "La Pimpinela Escarlata" y por lo menos diez veces "Vendrá por el
mar", que me chiflaba, nunca he disfrutado tanto con
un libro, palabra, que tenía un encanto especial, que
la pánfila de Esther se da unos aires como si sólo
hubiera leído ella. Y ahora que me acuerdo, Mario,
también me leí de cabo a rabo el libro de versos de
aquel amigo tuyo, Barcés o Bornés, ¿te acuerdas?, el
que encontramos en Madrid durante el viaje de novios, de Granada, me parece, que hablaba todo el
tiempo de García Lorca, él un poco pelirrojo y ella
llenita, muy morena, que le conocías, creo, de cuando
la guerra, no me hagas mucho caso, él como muy
cohibidín, bueno, es igual, pues me leí el libro de un
tirón, que eran unos versos rarísimos, unos cortos
cortos y otros largos largos, que no pegaban ni con
cola, al buen tuntún, que al acabar me dio una ja-
queca horrible, ¿recuerdas?, distinta de otras veces,
como en mitad de la cabeza. ¿Cómo se llamaba aquel
amigo tuyo, hombre, si lo tengo en la punta de la
lengua, que él hablaba muy bajito, como si se estuviera confesando, con un poco de acento y os pa-
sasteis la tarde diciéndoos versos uno al otro, sí, hombre, en un café de la Gran Vía que hacía esquina,
¡qué cabeza!, todo lleno de espejos, que ibas a entrar
y te dabas, que era como un laberinto? ¡Qué tardecita, Dios santo!, lo único, que recitaras el de mis

ojos, que recuerdo que cada vez que empezabas un
verso, yo pensaba: "Va a decir el de mis ojos", pero
ya, ya, ilusiones, con lo que yo hubiera dado, que si
Elviro no me lo dice, yo en la inopia, fíjate, "¿te lee
Mario sus versos?", que yo, pasmada, "¿hace Mario
versos?, es la primera noticia", y él, "desde que era
así", que luego me dijo que habías dedicado uno a
mis ojos y yo muerta de curiosidad, figúrate, el sueño
de toda mujer, pero cuando te lo pedí, "debilidades,
son blandos y sentimentales", que no había quien te
sacara de ahí, y eso es algo que me pone enferma,
Mario, porque escribir versos para nadie no tiene sentido, es como salir a la calle y empezar a dar voces
al buen tuntún, cosa de locos. ¡Borrés!, no, no era Borrés, pero algo parecido, desde luego empezaba por B,
¿no sabes quién digo, Mario?. Él, como muy desasea-
do, muy a la pata la llana, de tu escuela, y ella
andaluza, morena, con el pelo recogido, que nos llamaba todo el tiempo de ustedes, "porque ustedes",
"porque viniendo de ustedes", que contó aquello tan
divertido de la feria de Sevilla, lo de la jaca, eso, una
de las veces que te he visto reír con más ganas, ¿no te
acuerdas?, sí hombre, ¡qué rabia!, estábamos sentados
según se entra, así a mano derecha, en un diván rojo,
todo corrido, él y tú, enfrente, que él se subía mucho
el pantalón y luego, al salir, comentamos lo peludo,
más bien soso... ¡Barnés! Eso es, Barnés, Joaquín Barnés, me parece que era Joaquín, Mario, seguro, ¡qué
gusto, ay qué peso se me ha quitado de encima!

XXVII

Dejando, pues, vuestra antigua conducta, despojaos del hombre viejo, viciado por la corrupción del error, renovaos en vuestro espíritu y vestíos del hombre nuevo, lo que se dice otro hombre, que me encantaría que le vieras, Mario, sólo por gusto, que ha echado un empaque que no veas, con una americana inglesa de sport, sacando el codo por la ventanilla, como muy curtido y, luego, esos ojos... ¡de sueño, vamos!, no parece el mismo, que los hombres es una suerte, como yo digo, si no valéis a los veinte años no tenéis más que esperar otros veinte, yo no sé qué pasa. Y me di cuenta en seguida, no te creas, un Tiburón rojo aquí, imagina, inconfundible, no podía ser otro, y aunque intenté hacerme la tonta, él, ¡plaf!, en seco, un frenazo de cine, ¿eh?, que se quedó un rato el coche como temblando y Paco venga de sonreír, "¿vas al centro?", y yo, toda acomplejada, a ver, que Crescente no hacía más que fisgar desde el motocarro, "sí", "pues, arriba", y ya con la portezuela abierta, a ver qué podía hacer, me colé, y más cómoda que en el sofá del cuarto de estar, Mario, te lo pro-

meto, que lo que yo le dije, "me chifla tu coche", que
es verdad, que parece que ni tocas el suelo ni nada.
Y él, entonces, dio media vuelta y salió como un
cohete por la carretera de El Pinar, que yo le decía,
"vuelve, ¿estás loco?, ¿qué va a decir la gente?", pero
él, ni caso, cada vez pisaba más y decía, ¿sabes lo
que decía?, decía, "déjales que digan misa" y los dos
a reír, figúrate qué locura, en un Tiburón, mano a
mano, a ciento diez, que hasta se me iba la cabeza,
te lo juro, que hay cosas que no se explican, date
cuenta, aquel chiquilicuatro que hasta trabucaba las
palabras, pues no veas ahora, un aplomo, una serenidad, hablando a media voz, sin vocear, pero sólo lo
justo, como la gente de mundo, si no se ve no se cree,
que hay que ver, en un dos por tres, lo que ha corrido este hombre, si es el no parar, ¡Dios mío, aquel
chisgarabís! En realidad, Transi ya me lo había advertido, la tarde que la encontré, date cuenta, al mes es-
caso de largarse Evaristo, y como si nada, pero a ésa
no la matan penas, claro que siempre fue un poco
así, no sé cómo decirte, nunca tomó las cosas demasiado en serio, imagínate qué papeleta, con tres criaturas, pues ella, igual, "¿has visto a Paco? Chica, está
majísimo". Y es verdad, Mario, qué cambiazo, por
mucho que te lo diga no te lo puedes ni imaginar,
unos modales, una delicadeza, lo que se dice otro hombre, eso, que yo recuerdo por aquellos entonces, "dió-
cesis" por "dosis", y cosas por el estilo, que era una
perfecta calamidad, que yo no sé sus padres, él maes-
tro de obras, si es que llegaba, gente artesana desde

luego, de medio pelo, aunque, las cosas como son, Paco siempre fue inteligente y en la guerra se portó de maravilla, que tiene el cuerpo como una criba, la de metrallazos, no puedes hacerte idea. Bueno, pues le ves conducir ahora y te caes de espalda, ¡qué soltura!, es que no hace ni un solo movimiento de más, que parece que hubiera nacido con el volante entre las manos. Y luego ese olor que se gasta, como a tabaco rubio mezclado con colonia de fricción, que a la legua se ve que hace deporte, tenis y así, y cuando fuma ni se quita el pitillo de los labios, a ver, a ciento diez, loco sería, y guiña los ojos como en el cine, que yo le decía, te lo juro, "da la vuelta, Paco, tengo un montón de cosas que hacer", pero él venga de reírse, que tiene toda la dentadura completa, figúrate qué envidia, "demos tiempo al tiempo; la vida es breve", y, ¡hala!, como un loco, a ciento veinte, que, en éstas, nos cruzamos con el Dos Caballos de Higinio Oyarzun, que a saber de dónde vendría a esas horas por esa carretera, y yo quise agacharme pero estoy casi segura de que me vio, date cuenta qué apuro, y Paco, "¿te ocurre algo, pequeña?" y, luego, "es que estás igual", y yo, "¡qué bobada! fíjate la de años que han pasado", y él, muy fino, "el tiempo no pasa igual para todos", una galantería, tú dirás, pero que se agradece, por qué voy a decir lo contrario. Y cuando paró no me quitaba ojo y me preguntó, de repente, que menudo sofoco, si sabía conducir, y yo que muy poco, casi nada, y él, dale, que todos los días me encontraba en la cola del autobús, entre gentuza, que yo ni sabía

dónde meterme, que pasé más vergüenza que en toda
mi vida junta, te lo prometo, pero a ver qué le iba a
contestar, la verdad, Mario, que quien dice la verdad
ni peca ni miente, que no teníamos coche, que a tí
eso de los modernismos no acababa de entrarte, y no
quieras saber cómo se puso, que me gustaría que le
hubieras visto, "¡no, no, no!", como un loco, palabra,
dándose coscorrones en la cabeza, natural, que es lo
que yo digo, cariño, que hace años tal vez, pero hoy
en día, un coche no es un lujo, es un instrumento de
trabajo. Y Paco venga de encender pitillos, uno tras
otro, que si no fumó veinte no fumó ninguno, y "¿qué
es de Transi?", y lo que yo le dije, que no había tenido suerte, y que si se acordaba de los Viejos, bueno, pues Evaristo, el alto, se casó con ella, ya de mayor, y a los cinco años la había abandonado con tres
criaturas y él se había largado a América, a Guinea,
me parece, que Paco, entonces, "todos nos equivoca-
mos, no es fácil acertar", que me dejó de una pieza,
que le brillaban los ojos y todo, Mario, te lo puedo
jurar, que a mí me dio lástima, un hombrón así, que
no pude por menos, "¿no eres feliz?" y él, "dejemos
eso. Vivo y no es poco", pero me miraba cada vez
más de cerca y yo estaba toda aturdida, a ver, pensando en la mejor manera de ayudarle, que entonces
se me ocurrió recordarle cuando paseábamos por la
Acera, de nuestros tiempos, Mario, cuando el bárbaro
de Armando se ponía los dedos en las sienes y mugía,
¿te acuerdas?, antes de hacernos novios, pues eso, y
él, "¡qué tiempos!", como suele decirse, y, de repen-

te, "tal vez entonces perdí mi oportunidad. Luego, ya ves, la guerra", como con pena, que lo que yo le dije "pues tú te portaste bien bien en la guerra, Paco, no digas", que él, sin venir a cuento, se desabotonó la camisa, que no lleva suéter ni nada, en pleno invierno, y me enseñó las cicatrices del pecho, un horror, no te puedes ni imaginar, entre los pelos, que quién lo hubiera dicho, tan varonil, que de chico era un poco niño Jesús, que me dejó helada, te lo prometo, que eso es lo último que me esperaba, y le dije, "pobre", sólo eso, nada más, te lo juro, pero él me puso el brazo por detrás, que yo pensé que en buen plan, te lo juro, y cuando me quise dar cuenta ya me estaba besando, visto y no visto, y sí, desde luego, muy fuerte, que yo ni sabía lo que hacía, como de tornillo, sí, apretadísimo y muy largo, ésta es la verdad, pero yo no puse nada de mi parte, como lo estás oyendo, que estaba como hipnotizada, te lo juro, que me había estado mirando sin dejarlo yo que sé el tiempo, y luego aquel olor entre de colonia y de tabaco rubio, que trastorna a cualquiera, Valen te lo puede decir, que me lo ha comentado un montón de veces, que yo sólo te quiero a ti, no hace falta que te lo diga, pero estaba como atontada, a lo mejor de la misma velocidad, la falta de costumbre, vete a saber, cualquier cosa, como un fardo, lo mismito, y el corazón, paf, paf, paf, como desbocado, no puedes hacerte idea, eso instintivamente, los principios, lógico, y no podía ni menear un dedo, igual que anestesiada, lo mismito, que ni los árboles, imagínate, con los que había, sólo

el runrún de sus palabras, cerquísima, desde luego,
prácticamente encima, que era como estar en las nubes, una desorientación, y él me abrió la puerta y,
muy suave, "baja" y yo como una sonámbula, bajé,
pero como te lo digo, ni voluntad ni nada, que era
una especie de flojera, a buena hora si no, obedecía
sin darme cuenta, y nos sentamos detrás de una mata,
al sol, más bien grande, sí, muy grande, nos tapaba
desde luego, y figúrate a esas horas, en día de labor,
ni un alma, lo que se dice nadie, que si yo estoy en
mis cabales de qué, y Paco insistiendo, "aquí donde
me ves, que parece que tengo todo, estoy solo, Menchu", que yo "pobre", otra vez, pero conmovida de
veras, Mario, que esto es lo curioso, como si no supiera decir otra cosa, claro que no era yo ni Dios que
lo fundó, hipnotizada o lo que quieras, segurísimo,
imagínate, buena soy, y él, como enloquecido, empezó
a abrazarme y a estrujarme por el suelo, y me decía,
me decía, ¿sabes qué me decía?, después de todo, Mario, no es ninguna novedad, que al fin y al cabo, fue
sincero, que otros lo piensan y no lo dicen, me decía,
mira Eliseo San Juan, de siempre, y el mismo Evaristo, que a saber qué tienen mis pechos, yo qué le voy
a hacer, y Paco cada vez más frenético, me decía,
¿sabes lo que me decía?, me decía, "veinticinco años
soñando con estos pechos, pequeña", figúrate, que yo,
como tonta, "pobre", esto te dará idea, que él como
fuera de sí, que hasta me rompió la ropa y todo, Mario, pero yo no era yo, no hace falta que te lo diga,
perdóname, nada de culpa, que le rechacé, te lo juro,

le recordé a nuestros hijos, que ni sé de dónde me vinieron las fuerzas porque estaba completamente sin voluntad, hipnotizada, palabra, pero le mandé a paseo, que se debió quedar de un aire, te lo prometo, que me caiga muerta, que a saber tú con Encarna, en Madrid, perdona, Mario, perdóname, no quise decir eso, pero no pasó nada de nada, puedes estar tranquilo, te lo juro, que le recordé a nuestros hijos, o a lo mejor fue él, vete a saber, ya ni me acuerdo, pero para el caso es lo mismo, Mario, que me quitó la palabra de la boca, que ni hablar podía, estaba desquiciada, cariño, tienes que hacerte cargo, sólo quiero que me comprendas, ¿oyes?, porque aunque hubiese hecho algo malo no era yo, puedes estar seguro, que la persona que estaba allí no tenía nada que ver conmigo, sólo faltaría, pero no pasó nada, nada de nada, en absoluto, te lo juro por lo que más quieras, Mario, créeme, y si Paco no hubiera reaccionado hubiese reaccionado yo, ya me conoces, aunque estuviera convertida en una piltrafa, pero él, después de todo, tenía la culpa, a él le correspondía, que cuando se separó tenía unos ojos que daban miedo, echaban chispas, Mario, de loco, pero dijo, "somos dos locos, pequeña, discúlpame, no quiero perjudicarte", y se levantó, que yo avergonzada, sí, así fue, bien mirado, fue él, pero que fuera uno u otro es indiferente, cariño, lo importante es que no pasó nada, te lo prometo, sólo hubiera faltado, el respeto que te debo y nuestros hijos, pero, por favor, no te quedes ahí parado, ¿es que no me crees?, te lo he contado todo, Mario, cariño, de

pe a pa, tal como fue, te lo juro, no me guardo nada,
como si me estuviera confesando, palabra, Paco me
besó y me abrazó, lo reconozco, pero de ahí no pasó,
estaría bueno, te lo juro, y tienes que creerme, es mi
última oportunidad, Mario, ¿no lo comprendes?, y
si tú no me crees yo me vuelvo loca, te lo prometo,
y si te quedas ahí parado es que no me crees, ¡Mario!, ¿es que no me estás escuchando?, atiende, por
favor, nunca he sido más franca, te lo podría jurar,
con nadie, figúrate, que te estoy hablando con el
corazón en la mano, escucha, para mí el que me
perdones es cuestión de vida o muerte, ¿te das cuenta?, no se trata de un capricho, Mario, mírame,
anda, aunque sólo sea un momentín, por favor, no
me vayas a confundir con mi hermana, me aterro
sólo de pensarlo, te lo prometo, ya ves Julia, una
cualquiera, no me digas, con un italiano, que no tiene perdón, en plena guerra, tú me dirás, como quien
dice en frío, que al fin y al cabo, Galli, un desconocido, buena diferencia con Paco que perdería la
cabeza y todo lo que quieras, pero, en resumidas
cuentas, un caballero, Mario, "somos unos locos, pequeña; discúlpame", un detalle, que me quitó la palabra de la boca, te lo juro, Mario, te lo juro por
lo que más quieras, que yo se lo iba a decir y eso
que estaba como tonta, completamente hipnotizada,
ni voluntad ni nada, un fardo, pero se lo iba a decir,
palabra, y él, zás, se me adelantó, claro que lo importante, fuese uno u otro, es que no pasara nada, a
ver si no, Mario, pero mírame un poco, dí algo, no te

quedes ahí parado, que parece como que no me creyeras, que te estuviera engañando o así, y no, Mario, cariño, que en la vida he sido más franca, te estoy diciendo toda la verdad, toda, enterita, te lo juro, no ocurrió nada más, pero mírame, dí algo, anda, por favor, mira que eres, me estoy tirando por los suelos, más no puedo hacer, Mario, cariño, que al fin y al cabo, si a su tiempo me compras un Seiscientos, ni Tiburones ni Tiburonas, segurísimo, que con estas restricciones lo que hacéis es ponernos en el disparadero, a ver si no, que cualquiera te lo puede decir, pero perdóname, Mario, anda, te lo pido de rodillas, no hubo más, te doy mi palabra, yo sólo he sido para ti, te lo juro, te lo juro y te lo juro, por lo más sagrado, Mario, por lo que más quieras, por mamá, fíjate, que más no puedo hacer, pero mírame, un segundo aunque sólo sea, anda, hazme ese favor, ¡mírame!, ¿es que no me oyes? ¿cómo quieres que te lo diga? ¡Mario, que me muera si no es verdad!, no pasó nada, que Paco, a fin de cuentas, un caballero, claro que fue a dar conmigo, pero si yo tengo un Seiscientos, ni Paco ni Paca, te lo juro, Mario, te lo juro por Elviro y por José María, ¿qué más quieres?, en mejor plan no me puedo poner, Mario, que yo puedo llevar la cabeza bien alta, para que lo sepas, pero ¡escúchame, que te estoy hablando! ¡no te hagas el desentendido, Mario!, anda por favor, mírame, un momento, sólo un segundo, una décima de segundo aunque sólo sea, te lo suplico, ¡mírame!, que yo no he hecho nada malo, palabra, por amor de Dios, mírame un momentín, aunque sólo sea un momentín, ¡anda!, dame ese gusto, qué te cuesta, te lo pido de rodillas si quieres, no tengo nada de qué avergonzarme, ¡te lo juro, Mario, te lo juro! ¡¡te lo juro, mírame!! ¡¡que me muera si no es verdad!!, pero no te encojas de hombros, por favor, mírame, de rodillas te lo pido, anda, que no lo puedo resistir, no puedo, Mario, te lo juro, ¡mírame o me vuelvo loca! ¡¡Anda, por favor...!!

Carmen se sobresalta al oír el gemido de la puerta. Gira la cabeza, se sienta sobre los pies y hace como que buscara algo por el suelo. Sus ojos y sus manos expresan un nerviosismo límite. Aunque la luz del nuevo día entra ya por la ventana, la lámpara continúa encendida, proyectando su mortecino cerco luminoso sobre la descalzadora y los pies del cadáver:

—¿Qué pasa, mamá? ¡Levántate! ¿Qué haces ahí de rodillas?

Carmen se incorpora sonriendo tontamente. Se siente indefensa, blanda y maleable. Sus párpados han adquirido un color rosa fuerte, casi violeta, y cuando mira, mira de soslayo, como amedrentada. "Rezaba", murmura, pero lo dice sin convicción, para que no la crean, "sólo rezaba", añade, y el muchacho se adelanta hacia ella, la arropa los hombros con su brazo joven y nota que se estremece:

—¿Estás bien? —dice.

—Bien, hijo, ¿por qué?

En una noche, las mejillas de Carmen se han desplomado y a los lados de la barbilla y por debajo de ella se le forman unos papos blandos, gelatinosos, como bolsas donde se acumulase alguna secreción. También bajo los ojos tiene Carmen unas fofas y arrugadas inflamaciones cárdenas. Mario insiste:

—¿Tienes frío? Me pareció que hablabas sola.

La empuja blandamente hacia la puerta, pero Carmen se resiste a abandonar la habitación. Se opone sin decirlo y sin saberlo, pero con una persistencia sorda, tenaz, que induce a Mario a aflojar su presión. Entonces ella mira hacia todos los lados como si en lugar de haber pasado la noche allí viese aquel despacho, doblado en cámara mortuoria, por primera vez. Por la ventana se divisa ya nítidamente la casa de enfrente, con sus balcones verdes, de gresite, y sus cerradas persianas pintadas de blanco. Y cuando, de pronto, se abre una —una persiana— con un ruido de matraca, seco, de tablillas que se juntan, parece como que la casa bostezara y se desperezase. Antes de terminar de abrirse la persiana, petardea, abajo, en la calle estrecha, el primer motocarro. Y cuando el estrépito cesa, se perciben rumores de conversaciones y crujidos de pisadas de las gentes madrugadoras, que marchan al trabajo. Un gorrión cruza el poyete de la ventana, a saltitos rápidos, como si botase, gorgeando alborozadamente, como en primavera. Tal vez le llama a engaño el fragmento de cielo que cierra como un telón de fondo el taller de Acisclo del Peral y que ha pasado del negro al blanco

y del blanco al azul en unos minutos, apenas sin
transición. Carmen repara en los crespones enlu-
tados, los libros del revés, los geométricos grabados de biciclos —circunferencias, triángulos,
líneas punteadas—, la bola del mundo azul sobre
la mesa, la lámpara, la butaca de Mario con el
asiento de cuero desgastado en el borde y, finalmente, y con lentitud, como si acabara de hacerse
cargo de la situación, posa los ojos sobre el cadáver, sobre el rostro del cadáver de Mario. Suspira, mira a su hijo, le cierra maquinalmente el
cuello de la camisa con trémulos dedos y dice
con voz apagada, imperceptiblemente inflamada
de presunción, sonriendo:

—No está alterado ¿te das cuenta? No ha
perdido siquiera el color.

Mario oprime sus hombros:

—Déjalo —dice y tira de ella pero Carmen
está como clavada al suelo.

—Sin gafas no se parece —añade. De joven
no gastaba gafas y me miraba en el cine todo
el tiempo ¿sabes?; de esto hace muchísimos años,
¡qué sé yo el tiempo!, que tú yo no sé si habías
nacido, te estoy hablando del año catapún, pero
era bonito, te lo confieso, aunque yo no sé qué
pasa que todo en la vida acaba por estropearse.

Ha ido tomando fuerza como un avión que
despegara y cuando Mario dice solamente "no
debiste quedarte sola. Estás muy excitada. ¿Has
dormido algo siquiera?", Carmen, sin un gesto

previo que lo delate, rompe en sollozos, oculta los ojos en el suéter azul, de mezclilla, de su hijo, se aprieta contra su pecho y murmura un repertorio de incoherencias, de las que Mario apenas entresaca algunas frases o fragmentos de frases ("...es inútil"...", "... su yo por delante..." "... siquiera una mirada...") pero la tensión de Carmen ha remitido y se deja conducir a la cocina dócilmente, se sienta en el taburete blanco y observa cómo Mario llena de agua la cafetera italiana, atasca el filtro de café, y pone al 3 el hornillo rápido. Al calentarse el hornillo, la base húmeda de la cafetera sisea insistentemente. La cocina está en penumbra, Mario se acomoda en el otro taburete, a su lado. En el patio de luces retumban los primeros ruidos, las voces primeras de la mañana.

Carmen está doblada por la cintura, como entregada, como si los pechos que empujan tercamente el entremado de lana negra, y que siempre ha soportado gallardamente la pesasen ahora demasiado. Se ahueca las axilas con disimulo. Dice:

—Parece mentira que para los demás sea hoy un día corriente; un día como otro cualquiera, fíjate. Yo no puedo hacerme a la idea, Mario; me es imposible.

Mario vacila. Teme romper de nuevo su equilibrio. Finalmente dice:

—A todo el mundo le pasa. Todo el mundo

pasa por este trance alguna vez, mamá... No sé cómo decirte.

La escasa luz que entra por la ventana llena de sombras el rostro de Carmen. Cuando habla, se le abre, casi en el centro, un hueco aún más oscuro:

—Las cosas no son como antes.

Mario se agarra las rodillas con sus manos morenas, jóvenes y vitales:

—El mundo cambia, mamá, es natural.

—A peor, hijo, siempre a peor.

—¿Por qué a peor? Sencillamente nos hemos dado cuenta de que lo que uno viene pensando desde hace siglos, las ideas heredadas, no son necesariamente las mejores. Es más, a veces no son ni tan siquiera buenas, mamá.

Ella le observa frunciendo el ceño:

—No sé qué quieres decir.

Hablan a media voz. Del tono de Mario transciende un anhelo de aproximación:

—Hay que escuchar a los demás, mamá, eso quiero decir. ¿No te parece significativo, por ejemplo, que el concepto de lo justo coincidiera siempre sospechosamente con nuestros intereses?

La mirada de Carmen es, por momentos, más roma y desconcertada. Por contra, a medida que habla se ensancha la ingenua petulancia de Mario:

—Sencillamente tratamos de abrir las ventanas. En este desdichado país nuestro no se abrían las ventanas desde el día primero de su historia, convéncete.

A Mario le ha subido el color. Está un poco azorado. Para disimularlo, se levanta y vuelve con la cafetera. Gira el botón para apagar el hornillo que en unos segundos se torna color ceniza. Coge dos tazas y el azucarero del vasar. Sirve a su madre, que está inmóvil, los ojos entrecerrados, como si contemplase algo muy distante.

—No os entiendo —murmura, al fin—. Todos habláis en clave como si pretendierais volverme loca. Leéis demasiados libros.

Mario le aproxima la taza:

—Tómatelo —dice autoritariamente—. Tómatelo antes de que se quede frío.

Carmen mueve lentamente el azúcar con la cucharilla y bebe. Al principio sin querer beber, cerrando los labios, como con temor de quemarse, pero cuando comprueba la temperatura, bebe ya francamente. Al concluir, se queda mirando para su hijo, tratando de explicárselo, no ya intelectualmente, sino como simple fenómeno biológico, como una consecuencia de ella:

—No es posible —dice, al cabo—. No es posible que tú seas aquel pequeñín, que cuando empezó a ir al colegio y yo le decía al verle las notas: "¡Este niño es un sabio!", él me decía, "Mamá, yo no soy un sabio; soy un filósofo".

Mario, para vencer su azoramiento, bebe, pero inclina demasiado repentinamente la taza y el

café se le derrama por los bordes de la boca.
Deja la taza sobre el mármol blanco de la mesa
y se limpia precipitadamente con el envés de la
mano:

—Déjalo ya —murmura—. Parece como que
te complacieras avergonzándonos con nuestras
ridículas salidas de niños-prodigio.

Carmen abre los ojos sorprendida; sinceramente sorprendida:

—Otra cosa que no comprendo, palabra
—dice— es que reneguéis de los años en que
erais más buenos. Tu mismo padre...

Mario se lleva las manos a la cabeza:

—¡Oh! —dice enfáticamente—. ¡Más buenos! ¡Por Dios, mamá! Ya salió nuestro feroz
maniqueísmo: buenos y malos —el aroma del
café y la atención del auditorio le traslada al
Bar Floro, en cuyas mesas platican a diario los
del curso y redactan el Boletín "Agora". Se va
creciendo. Se inflama. Prende un cigarrillo— ¡los
buenos a la derecha y los malos a la izquierda!
Eso os enseñaron, ¿verdad que sí? Pero vosotros
preferís aceptarlo sin más, antes que tomaros
la molestia de miraros por dentro. Todos somos
buenos y malos, mamá. Las dos cosas a un tiempo. Lo que hay que desterrar es la hipocresía
¿comprendes? Es preferible reconocerlo así que
pasarnos la vida inventándonos argumentos. En
este país, desde los Comuneros venimos esfor-
zándonos en taparnos los oídos y al que grita

demasiado para vencer nuestra sordera y despertarnos, le eliminamos y ¡santas pascuas! "¡La voz del mal", nos decimos para sosegarnos. Y, por supuesto, nos quedamos tan a gusto.

Carmen le mira asustada. Sus ojos son planos. Toda su cara es plana ahora. Le explora. Mario comprende que es inútil, que es como pretender que la pared de un frontón succione la pelota y ésta quede adherida a su lisa superficie. El rostro de Carmen es plano como un frontón. Y como un frontón devuelve la pelota en rebotes cada vez más fuertes. Se abre una pausa. Pese a todo, Carmen no se enfurece. Se siente inclinada a la benevolencia. La Doro empieza a rebullir en el cuarto de al lado. El patio de luces se ha llenado de ruidos: rumores de conversaciones somnolientas, arrastrar de latas de basura, entrechocar de loza. Dice Carmen, después de mover obstinadamente la cabeza como tratando de espantar una idea:

—Y tú, hijo ¿has dormido?

Mario apura su café. Cada vez que da una chupada al cigarrillo pone tal avidez que se diría que quiere absorberlo entero:

—No —dice—. Me ha sido imposible. Una cosa rara. Cada vez que lo intentaba parecía que se me hundía el jergón ¿comprendes? Un vértigo. Aquí —se señala con la mano derecha la parte alta del estómago—, es algo así como cuando vas a examinarte y estás esperando que te llamen.

El rostro de Carmen se pone tenso. La flacidez de sus bolsas —papos y ojeras— desaparece:

—¡¡No!! —chilla.

Pero la Doro sale en ese momento de su dormitorio. "Buenos días", dice apagadamente. Al fondo del pasillo suena un portazo. Luego, otro. De inmediato se oye el timbre. Es Valentina. Sus facciones relajadas y ante todo el descaro de su mechón albino, le hacen daño a Carmen. Valentina se acerca y ambas cruzan sus cabezas, primero del lado izquierdo, luego del derecho, y besan formulariamente al aire, al vacío, de forma que una y otra sienten los apagados estallidos de los besos pero no su calor:

—Estarás muerta, Menchu, ¿no es verdad? ¿No es cierto que ahora lo notas? ¿No has dormido nada, nada?

Carmen no responde. Valentina le apremia. Falta un cuarto de hora para las ocho. Mientras se arregla, llegan Bene y Esther. Parece un té de los jueves. Entre todas la arrastran a la misa de alma. Cuando regresan, la casa es un jubileo. La mente de Carmen conecta con otra etapa anterior que ahora se le antoja remotísima. "No sabes qué impresión me ha hecho." "Tan joven, mujer." "Me he enterado por el periódico; de pura casualidad." Los cantos de su mano derecha se resienten a los primeros apretones. Se inclina, pri-

mero del lado izquierdo, luego, del lado derecho. Siente los labios como dormidos, empereza-
dos para besar. Así y todo, besa y besa sin tre-
gua. Esther la lee la necrología de "El Correo".
"Descanse en paz el hombre bueno que ante-
puso..." "Bueno ¿para quién?" "En una época
materializada como la nuestra, Mario Díez Co-
llado, dio con sus escritos y con su ejemplo..."
"Le retrata, ¿eh?" "Muy sentida." "Lo dicho. Yo
espero abajo." "Salud para encomendar su alma."
"Tú no tienes la culpa, Carmen. He venido por
ti." "Gracias, Josechu, no sabes cuantísimo te lo
agradezco." Los bultos tienen hoy los ojos mates
y hundidos, como atornillados, pero responden a
unos mismos estímulos y son locuaces o lacónicos
a rachas. "¿La importa que pase un momento?"
"Después debes acostarte, Menchu. Del cuerpo no
se debe abusar." "Al contrario." "No está descompuesto; no ha perdido siquiera el color."
"Yo espero abajo." Silencio. Mario con su suéter
de mezclilla, Menchu y Álvaro, merodean como
perdidos entre los grupos. Van y vienen sin encontrar un sitio. "El corazón es muy traicionero,
ya se sabe." Suspiros. "A Charo que no la espe-
res. Se ha quedado con Encarna." "No irás al cementerio ¿verdad? No te lo aconsejo, mona, hazme caso, fíjate que a mí..." "¿Sabes si han dormido bien los niños?" Cada vez suben más bultos y el desagüe parece atascado. "Bertrán, ¿le
importa esperar en la calle? Aquí no podemos ni

rebullirnos." "De un tirón, hija, felices ellos."
"Por favor, Doro, diga a la portera y a toda esa
gente que pasen a la cocina." Carmen se inclina,
primero del lado izquierdo; luego del derecho y
besa al aire, a la nada, tal vez a algún cabello
suelto. "Me imagino cómo estarás ¡pobre! Todavía no puedo creerlo." "Salud para encomendar
su alma." "Pero si yo misma... Anoche... ante-
anoche cenó como si tal cosa y leyó hasta las
tantas. ¿Cómo iba a imaginar una cosa así?" Los
bultos ya no caben, ni aun apretándose, en el
despacho y el comedor. Van aglomerándose en
el pequeño vestíbulo. "No somos nadie." "A mí
estas   muertes   repentinas   me   descomponen."
"¿Quiere correrse un poquito?"

Cuando llegan los muchachos de Carón, acrece
el dinamismo. Carmen, Mario, Valentina y Esther,
van y vienen, abren y cierran, pero algún bulto
rezagado, aún retiene a Carmen inoportunamen-
te: "Me he enterado por el periódico; de pura
casualidad." "Gracias, Higinio. No sabes cuantísimo te lo agradezco." Higinio Oyarzun se queda
en el vestíbulo, junto a Arronde, el boticario. No
trae gabán aunque es temprano y todavía hace
fresco. Del despacho, cuya puerta está abierta,
llegan suspiros y sollozos. "No le había más bueno." "Quién lo iba a decir." "No somos nadie."
Higinio Oyarzun observa a Moyano dentro de
su barba rabínica. También Arronde le mira de
refilón y, luego, se agacha y le dice a Oyarzun

tenuemente: "Un revolucionario." "Ja", Oyarzun
se ríe o hace que se ríe. Después susurra: "Esas
revoluciones me las conozco. Ese quiere quitarme
a mí para ponerse él. Revoluciones positivas para
uno pero de eficacia general muy limitada. Somos
todos unos sinvergüenzas." "El corazón es muy
traicionero." "Ni tiempo de confesarse tuvo."
"¡Pobrecito!" Moyano ladea un poco la cabeza.
Tiene los ojos húmedos y la nuez, sobre el suéter oscuro, sin camisa, le sube y le baja cada vez
más deprisa. "Ha muerto un hombre íntegro",
le dice a Aróstegui, pero apenas ha terminado de
decirlo cuando Oyarzun, aunque no va con él, le
replica ásperamente desde atrás, empinando su
corta estatura sobre el hombro de Arronde: "¿Íntegro? ¡Ja! Ese señor no era íntegro por serlo
sino para gozarse echándonos en cara a los demás que no lo éramos. Era un Tartufo." Moyano
se vuelve fuera de sí: "Nazi asqueroso", dice.
Y Oyarzun aparta a Arronde que intenta sujetar-
lo y vocea ya sin circunloquios: "¡Suelta! ¡A ese
tipo le rompo yo la cara! ¡A ese...!"

La cabeza de Vicente asoma por la puerta del
despacho:

—¡Chist! —sisea—. Por favor, que sacan el
cadáver.

Se hace el silencio. Los muchachos de Carón
con el féretro en hombros se abren calle entre
los asistentes y detrás, enmarcada por el dintel,

se ve un momento a Carmen. No llora. Se estira el suéter de los sobacos y mansamente deja que Valentina la pase un brazo por los hombros y la atraiga hacia sí.